KB082325

강력한 건국대 자연계 수리논술

기출문제

저자 소개

저자 김근현은 현재 탁트인 교육, 일으킨 바람, 에듀코어 대표이다.
前 메가스터디 온라인에서 대입 논술과 면접, 자기소개서, 학생부종합 등 다양한 동영상 강의를 하였다.
현재는 학습 프로그램 개발 및 연구 활동을 통해 교육의 발전을 고민하고 있다.
홍익대학교에서 전자전기공학부를 졸업하고 동대학원에서 전자공학 석사(반도체 레이저)를 전공하였다. 또한 연세대학교 교육경영최고위자 과정을 마쳤으며 연세대학교 교육대학원에서 평생교육 경영을 공부하고 있다.

강력한 건국대 자연계 수리논술 기출문제

발   행 | 2024년 03월 11일
개정판 | 2024년 06월 24일
저   자 | 김근현
펴낸이 | 김근현
펴낸곳 | 일으킨 바람
출판사등록 | 2018.11.12.(제2018-000186호)
주   소 | 경기도 고양시 일산서구 하이파크 3로 61 409동 1503호
전   화 | 031-713-7925
이메일 | illeukinbaram@gmail.com

ISBN | 979-11-93208-75-5

www.iluekinbaram.com
ⓒ 김 근 현 2023

강력한 건국대 자연계

수리논술 기출문제

김근현 지음

차례

머리말

 책을 쓰기 위해 책상에 앉으면 아쉬움과 안타까움, 나의 게으름에 늘 한숨을 먼저 쉰다.
왜 지금 쓸까?
왜 지금에서야 이 내용을 쓸까?
왜 지금까지 뭐했니?
스스로 자책을 한다.

또 애절함도 함께 느낀다.
시험이 코앞에서야 급한 마음에 달려오는
수험생들에게 왜 미리 제대로 준비된 걸 챙겨주지 못했을까?
그렇게 하루, 한 달, 일 년 그렇게 몇 해가 지나 이제야 조금 마음의 짐을 내려놓는다.

입에 단내 가득하도록 학생들에게 강의를 했고,
코앞에 다가온 연속된 수험생의 긴장감을 함께하다보면
그렇게 바쁘게 초조하게 지냈던 것 같다.

그렇게 함께했던 시간을 알기에
부족하겠지만
부디 이 책으로 수험생들이 부족한 일부를 채울 수 있고,
한 걸음이라도 희망하는 꿈을 향해 다갈 수 있길 간절히 바래 본다.

김 근 현

I. 건국대학교 논술 전형 분석

1. 논술 전형 분석

1) 전형 요소별 반영 비율

구분		논술	학생부	총 비율
일괄합산	반영비율(%)	100	0	100%
	최고점 / 최저점	1000점/0점	0점	1000점

2) 학생부교과 반영방법

● **없음**

3) 수능 최저학력 기준

● **2합 5**

계열	2023학년도	2024학년도	비고
인문	국, 수, 영, 사/과탐(1과목) 중 2개 등급 합 4	국, 수, 영, 사/과탐(1과목) 중 **2개 등급 합 5**	한국사 5등급 (공통)

* 과학 과목 중 2과목을 응시하여 그 중 높은 과목 반영

* 영역별 구분 없음

4) 논술 전형결과

(1) 2024학년도 (논술전형) 결과

단과대학	모집단위	모집 인원	경쟁률	충원 인원	수능최저 충족률(%)	논술평균
이과대학	수학과	9	30.00	6	64.53	886.28
	물리학과	23	32.65	16	59.31	803.55
	화학과	6	40.00	2	70.39	807.75
건축대학	건축학부	13	56.38	11	57.08	798.77
공과대학	사회환경공학부	20	40.15	4	59.47	865.57
	기계항공공학부	29	42.45	2	65.18	917.30
	전기전자공학부	31	57.32	7	70.30	939.52
	화학공학부	37	44.27	7	66.92	924.66
	컴퓨터공학부	24	61.58	4	66.05	942.67
	생물공학과	7	43.71	-	57.22	874.04
KU융합 과학기술원	미래에너지공학과	11	48.64	10	74.70	832.14
	스마트운행체공학과	4	42.25	2	64.42	832.25
	스마트ICT융합공학과	7	51.00	1	75.00	859.11
	화장품공학과	7	48.14	3	57.99	840.96
	의생명공학과	9	49.89	3	64.44	819.66
	시스템생명공학과	9	47.22	-	60.82	822.69
	융합생명공학과	9	45.56	2	69.57	834.47
상허생명 과학대학	생명과학특성학과	7	39.00	-	63.54	848.57
	동물자원과학과	5	33.60	-	57.29	771.25
	축산식품생명공학과	4	33.50	1	56.58	771.69
	환경보건과학과	5	35.00	2	56.31	769.70
	산림조경학과	8	30.63	4	45.71	738.31
수의과대학	수의예과	6	378.00	-	53.42	977.56
사범대학	수학교육과	6	30.33	1	60.19	853.50
합계		296	56.72	88	62.35	847.17

(2) 2023학년도 (논술전형) 결과

단과대학	모집단위	모집 인원	경쟁률	충원 인원	수능최저 충족률(%)	논술평균
이과대학	수학과	5	41.40	-	69.92	835.00
	물리학과	23	35.00	13	62.37	749.87
	화학과	6	35.50	1	69.34	706.54
건축대학	건축학부	13	52.62	1	59.58	742.27
공과대학	사회환경공학부	20	37.10	-	63.08	778.95
	기계항공공학부	29	44.86	5	64.23	861.14
	전기전자공학부	31	68.84	9	70.01	858.85
	화학공학부	38	47.13	7	67.93	839.68
	컴퓨터공학부	24	79.17	8	72.81	893.71
	생물공학과	7	40.43	2	68.87	751.00
KU융합 과학기술원	미래에너지공학과	11	42.09	1	72.56	757.77
	스마트운행체공학과	4	35.00	1	76.83	713.31
	스마트ICT융합공학과	7	57.43	2	73.31	824.71
	화장품공학과	7	36.57	1	61.73	650.36
	의생명공학과	9	55.00	1	69.28	762.86
	시스템생명공학과	9	39.00	-	73.36	755.97
	융합생명공학과	9	40.89	-	71.03	733.42
상허생명 과학대학	생명과학특성학과	10	37.80	2	66.67	718.23
	동물자원과학과	5	35.00	-	68.81	648.80
	축산식품생명공학과	4	32.00	-	57.35	696.63
	환경보건과학과	5	34.80	-	63.48	713.25
	산림조경학과	8	30.50	-	51.30	714.97
수의과대학	수의예과	6	441.83	-	59.45	954.92
사범대학	수학교육과	6	47.83	1	65.98	822.21
합계		296	60.32	4	66	767

(3) 2022학년도 (논술전형) 결과

단과대학	모집단위	모집인원	경쟁률	수능최저충족률(%)	논술평균	충원율 (%)
이과대학	수학과	5	31.4	78.0	91.6	20.0
	물리학과	23	16.5	63.8	78.6	13.0
	화학과	5	27.8	67.1	79.7	60.0
건축대학	건축학부	13	39.5	64.6	83.4	30.8
공과대학	사회환경공학부	20	28.8	71.2	88.1	-
	기계항공공학부	29	24.7	70.8	88.3	24.1
	전기전자공학부	31	34.3	74.5	90.4	32.3
	화학공학부	41	44.3	72.2	90.9	31.7
	컴퓨터공학부	24	76.0	74.0	93.6	33.3
	산업공학과	3	37.0	76.7	89.4	-
	생물공학과	7	39.4	70.5	87.4	14.3
KU융합과학기술원	미래에너지공학과	11	31.5	74.4	85.5	27.3
	스마트운행체공학과	4	27.5	70.7	89.2	-
	스마트ICT융합공학과	7	49.1	83.0	87.2	14.3
	화장품공학과	5	37.8	67.5	88.8	-
	의생명공학과	9	53.7	68.9	85.0	22.2
	시스템생명공학과	9	38.9	79.1	84.6	-
	융합생명공학과	9	41.1	71.0	84.2	22.2
상허생명과학대학	생명과학특성학과	10	35.0	69.9	75.7	10.0
	동물자원과학과	5	26.0	53.3	72.1	-
	식량자원과학과	3	21.0	71.8	72.5	66.7
	축산식품생명공학과	4	23.0	64.7	64.0	25.0
	식품유통공학과	3	23.7	59.5	78.6	33.3
	환경보건과학과	5	25.2	63.4	73.1	20.0
	산림조경학과	8	23.1	61.5	81.5	12.5
수의과대학	수의예과	9	249.3	43.6	95.3	11.1
사범대학	수학교육과	6	35.7	70.5	88.3	50.0
합계		308	42.3	68.7	84.0	27.3

(4) 2021학년도 (논술전형) 결과

대학	모집단위	모집인원	경쟁률	수능최저학력 충족률(%)	논술 점수	충원율 (%)
이과대학	수학과	5	27.8	74.1	95.4	60.0
	물리학과	23	19.9	62.3	91.2	30.4
	화학과	5	31.4	73.0	94.2	–
건축대학	건축학부	14	35.7	67.0	93.0	50.0
공과대학	사회환경공학부	20	34.2	70.2	95.0	50.0
	기계항공공학부	29	26.2	73.2	92.6	41.4
	전기전자공학부	31	32.2	71.8	96.1	–
	화학공학부	42	55.4	76.3	95.2	26.2
	컴퓨터공학부	24	66.0	74.4	97.1	8.3
	산업공학과	3	43.7	74.2	94.7	–
	생물공학과	7	46.6	71.5	93.7	14.3
KU융합 과학기술원	미래에너지공학과	12	27.7	68.4	95.6	41.7
	스마트운행체공학과	5	27.4	74.7	95.8	20.0
	스마트ICT융합공학과	7	39.6	69.4	96.1	14.3
	화장품공학과	5	41.0	64.4	94.9	–
	의생명공학과	9	57.0	73.9	95.8	11.1
	시스템생명공학과	9	43.4	74.3	91.8	44.4
	융합생명공학과	9	43.3	72.4	93.2	22.2
상허생명 과학대학	생명과학특성학과	11	44.4	74.9	90.8	–
	동물자원과학과	5	28.0	54.2	90.0	–
	식량자원과학과	3	26.7	65.8	88.5	–
	축산식품생명공학과	4	25.5	72.6	92.0	–
	식품유통공학과	3	22.7	65.7	90.4	33.3
	환경보건과학과	6	28.8	75.2	85.6	–
	산림조경학과	9	25.3	63.8	91.2	44.4
수의과대학	수의예과	9	194.7	62.2	95.8	11.1
사범대학	수학교육과	6	33.2	68.0	92.7	66.7
합계		315	41.8	69.9	93.3	32.8

(5) 2020학년도 (논술전형) 결과

대학	모집단위	모집 인원	경쟁률	수능최저학력 충족률(%)	논술 점수	충원율 (%)
이과대학	수학과	5	35.8	57.5	86.7	80.0
	물리학과	23	28.8	59.8	79.0	43.5
	화학과	6	53.7	67.4	87.0	-
건축대학	건축학부	14	56.1	62.7	85.1	21.4
공과대학	사회환경공학부	21	56.9	68.2	83.9	19.0
	기계항공공학부	30	52.1	66.8	83.7	26.7
	전기전자공학부	37	56.2	69.0	86.5	18.9
	화학공학부	30	76.0	74.3	86.8	13.3
	컴퓨터공학부	25	84.4	75.7	88.0	16.0
	산업공학과	5	52.8	75.0	84.5	20.0
	생물공학과	8	54.9	70.8	82.1	37.5
KU융합 과학기술원	미래에너지공학과	10	49.4	68.6	89.5	20.0
	스마트운행체공학과	5	44.4	69.7	86.2	40.0
	스마트ICT융합공학과	7	59.4	73.2	87.6	42.9
	화장품공학과	5	60.2	73.0	86.4	20.0
	의생명공학과	9	63.3	72.0	82.0	22.2
	시스템생명공학과	9	50.6	68.9	85.1	22.2
	융합생명공학과	9	53.0	77.9	86.5	11.1
상허생명 과학대학	생명과학특성학과	12	53.3	72.3	76.4	16.7
	동물자원과학과	5	41.0	71.6	75.6	-
	식량자원과학과	3	37.3	53.6	71.2	-
	축산식품생명공학과	4	34.3	65.0	76.4	-
	식품유통공학과	3	34.3	58.9	87.9	-
	환경보건과학과	8	38.6	67.2	76.1	37.5
	산림조경학과	9	35.4	64.6	77.0	11.1
수의과대학	수의예과	10	235.3	60.4	91.3	20.0
사범대학	수학교육과	7	37.1	71.8	85.9	42.9
합계		319	56.8	68.0	83.5	27.4

2. 논술 분석

1) 출제 구분 : 계열 구분

2) 출제 유형 :

계 열	평가유형	문항 수	출제범위	시간
자연	수리논술	4문항	수학교과(수학, 수학Ⅰ, 수학Ⅱ, 미적분, 확률과 통계, 기하)	100분

※ 문항수는 4문항 출제 (수리논술로 전환된 이후 5문항에서 4문항으로 축제됨)

※ 2023학년도부터 수리논술만 출제, 이전 문항에서는 수학과 과학을 함께 출제하였으며, 기출문제의 경우 수리논술 문항은 총 4문항

3) 출제 방향 :

건국대학교 자연계 논술은 통합교과형이 아니라 수학 교과만을 평가하는 특징을 가지고 있다. 그러나 수학 교과의 배경지식이나 기본교과지식의 수준을 평가하는 것은 아니다. 수학 교과의 여러 개념 및 원리를 문제 해결에 활용하는 능력, 수리계산 능력 및 수리응용 능력, 그리고 문제 풀이 과정을 논리적으로 서술하는 능력 등을 평가하는 시험이다.

정리하면,

- 고교 교육과정에서 습득한 수리, 자연계 관련 지문 제시, 이를 근거로 출제
- 사고와 추론의 최종적 결과물뿐만 아니라 추론과정까지 평가할 수 있도록 출제
- 다양한 내용의 지문을 바탕으로 통합적 이해력, 논증력, 표현력, 추론능력 평가

4) 합격 전략 :

1. 문제이해(이해력)

제시문과 문항을 꼼꼼히 읽어야 한다. 문항 해결 과정에서 조건을 빼고 생각하거나 제시문을 올바르게 사용하지 못하는 경우가 많다. 따라서 문항을 올바르게 해결하기 위해서는 제시문과 문항을 완벽하게 이해해야 한다.

2. 문제 해결 과정 수립(분석력, 논리력, 창의력)

문제 출제 의도와 어떤 개념을 묻고 있는지 파악해야 한다. 또한 문제 해결 과정에 도움을 주는 제시문을 어떻게 사용할 것인지 잘 생각해서 해결 과정을 수립해야 한다.

3. 문제 해결 과정 실행(계산 능력 및 문제 해결 능력)

풀이 계획을 세웠다면 정확한 계산력을 바탕으로 실수 없이 문제를 해결해야 한다. 많은 학생들이 풀이 계획을 수립하여도 계산력이 뒷받침되지 못하여 과정에서 실수하거나, 너무 많은 시간을 할애하는 경우가 많으므로 계산 능력이 꼭 필요한 능력이라 할 수 있다.

4. 답안 작성 능력(수학적 의사소통 능력, 표현력)

답안 작성 시 정확한 표현을 사용하여 채점자가 바르게 이해할 수 있도록 표현해야 한다. 답안을 작성할 때는 채점자의 관점에서 풀이 과정에 논리적인 비약, 과정의 생략이 없도록 작성하도록 노력해야 한다.

5) 논술 평가 :

대부분의 자연계 수리 논술전형에 합격하기 위해서 중요한 것은 3가지로 정리할 수 있다. 첫째로는 바르게 정답을 도출할 수 있는 능력, 둘째로는 답안 작성 능력, 셋째로는 경향성 파악이다. 위에 3가지 중 가장 중요한 것은 바르게 정답을 도출하는 것이다. 답안 작성 능력이 아무리 뛰어나더라도 논술 문항의 경향성을 파악했더라도 정답이 맞지 않으면 합격하기 어렵다. 위에 언급했듯이 최종 등록자의 논술점수 평균이 80점을 넘는 것으로 볼 때 대부분의 문항을 맞춰야 합격이 가능하고 이를 위해서는 수학 실력이 밑바탕이 되어야 한다. 내신에서 서술형 문항이나 수능에서 일정 수준 이상 문제는 논술고사의 문항과 크게 다르지 않는다. 그래서 논술을 따로 준비하기보다는 평소 수능과 내신 수학을 꾸준히 공부하다 보면 논술 실력은 자연스럽게 따라오게 되어 있다.

정답 도출이 가장 중요하지만 논술에서는 답안 작성 능력과 표현력도 평가한다. 답을 구하더라도 풀이 과정을 논리적으로 작성하지 않으면 좋은 점수를 받을 수 없다. 답안 작성 능력은 하루아침에 키워지지 않을뿐더러 개념 학습과 연동되어 있기 때문에 평소 수능, 내신 수학을 공부하면서 난이도가 있는 문항이 수리 논술고사에 나왔다는 가정을 하고 답안을 작성해보는 것이 좋다. 단순히 답안 작성에 그치는 것이 아니라 정답 및 해설을 보면서 자신이 작성한 답안과 해설을 비교하면서 본인이 놓친 부분이나 논리적으로 작성하지 못한 부분을 찾아서 셀프 첨삭을 해보는 방법을 추천한다. 처음에는 어렵고 시간이 많이 걸릴 수 있지만 해설의 80% 정도의 답안을 작성하는 것을 목표로 꾸준히 하다 보면 답안 작성 능력이 향상된다. 수능특강의 Level 2, 3나 단원별 구성인 수능 교재의 종합 문제 등으로 답안을 작성하고 셀프 첨삭을 하다보면 답안 작성 능력도 향상되고 개념이 부족한 부분도 진단할 수 있어 효과적이다.

셋째로 그 대학의 출제 경향성을 파악하는 것이 중요하다. 수능을 준비할 때 수능 기출문제를 풀지 않고 준비하는 것은 어리석듯이 논술고사를 준비할 때도 반드시 해당 대학의 논술 기출문제를 반드시 분석해봐야 한다. 건국대학교 입학처 홈페이지에는 자연계 논술고사의 기출문제와 모의논술 문제가 이미 공개되어 있으며, 해설과 해설 강의도 제공한다. 특히 논술가이드북을 따로 제작하여 논술전형을 대비하는 학생들에게 다양한 정보를 제공한다. 이러한 다양한 자료를 참고하고 3개년 정도의 기출문제와 모의논술만 분석을 해봐도 난이도나 경향성을 쉽게 파악할 수 있다. 위에 언급한 것과 같이 건국대학교는 전통적으로 기하가 자주 출제되었으며, 2021학년도부터 기하 교과가 출제범위에서 제외됐더라도 수학Ⅰ, 수학Ⅱ, 미적분에서 도형이나 함수의 특정 상황을 제시하고 이를 극한, 미분, 적분을 이용하여 해석하는 문항들이 자주 출제되므로 이를 염두에 두고 준비하면 수월하게 준비할 수 있다. 또한 모의논술이나 기출문제를 실제 시험 시간과 동일한 시간으로 풀어본 다음 해설을 보고 셀프 첨삭을 해보면 분명히 큰 도움이 될 것이다.

정리하면 논술전형의 합격 전략은 내신의 서술형, 수능, 논술을 따로따로 준비하지 말고 평소 공부를 하면서 논술을 염두에 둔 개념학습, 심화학습, 결과뿐만 아니라 풀이의 논리적 과정을 충실히 찾으려고 노력하고 자신의 풀이와 해설의 풀이를 비교하면서 셀프 첨삭을 해본다면 수능, 논술에서 모두 좋은 결과가 있을 것이다.

3. 출제 문항 수
· 4 문항

4. 시험 시간

· **100분**

5. 답안 작성시 유의사항

1. 시험 시간은 ○○:00~○○:40 (100분)입니다.

2. 제목은 쓰지 말고 본문부터 쓰기 시작합니다.

3. 답안 작성시 문항번호와 답안번호를 대조하여, 일치하는 답안란에 작성해야 합니다.

4. 답안지상의 수험번호 및 생년월일은 반드시 컴퓨터용 사인펜을 사용하여 표기해야 합니다.

5. 답안지상의 수험번호 및 생년월일은 수정이 불가하며, 수정해야 할 경우 반드시 답안지를 교환해야 합니다.

6. 답안 작성시 필요한 경우에는 수식 및 그림을 사용할 수 있습니다.

7. 답안 작성시에는 반드시 검정색 필기구만(연필, 샤프, 검정색 볼펜)을 사용해야 하며, 다른 색의 필기구는 사용할 수 없습니다.

[※ 검정색 이외의 색 필기구로 작성한 답안은 최하점 처리함.]

8. 답안 작성 및 수정 시에는 개인이 지참한 검정색 필기구, 지우개, 수정테이프 사용이 가능합니다.

9. 문제와 관계없는 불필요한 내용이나 자신의 신분을 드러내는 내용이 있는 답안, 낙서 또는 표식이 있는 답안은 모두 최하점으로 처리합니다.

Ⅱ. 기출문제 분석

1. 기출 연도별 문항별 출제 의도

학년도	교과목	출제의도
2024 A	수학, 수학Ⅰ, 수학Ⅱ, 미적분, 확률과 통계, 기하	[문제1] ● 원에 대한 접선을 구하고 곡선의 길이를 적분을 이용하여 구할 수 있는지 알아본다. [문제2] ● 같은 것이 있는 순열의 수를 이해하고 구할 수 있는지 알아본다. [문제3] ● 곡선 사이의 넓이를 적분을 이용하여 구할 수 있는지 알아본다. 합성함수를 미분할 수 있는지 알아본다. [문제4] ● 코사인법칙을 이용하여 주어진 문제를 해결할 수 있는지 알아본다. 삼각함수 및 삼각함수의 덧셈정리를 이용할 수 있는지 알아본다.
2024 B	수학, 수학Ⅰ, 수학Ⅱ, 미적분, 확률과 통계, 기하	[문제1] ● 주어진 상황을 함수로 표현하고, 극값을 활용하여 최댓값을 찾을 수 있는지 알아본다. [문제2] ● 중복조합을 이해하고, 중복조합의 수를 구할 수 있는지 알아본다. [문제3] ● 각의 크기가 변하는 상황을 함수로 표현하고, 합성함수의 미분을 활용할 수 있는지 알아본다. [문제4] ● 직선과 포물선의 교점과 근과 계수와의 관계를 활용할 수 있는지 알아본다.
2024 모의	수학 Ⅰ, 수학 Ⅱ, 미적분	[문제 1] ● 삼각함수의 뜻을 알고 코사인법칙을 이해하고 이를 이용하여 삼각형의 넓이를 구할 수 있는지 알아본다. [문제 2] ● 코사인법칙을 활용하여 삼각형의 넓이를 구할 수 있는지 알아본다. 또한 함수의 최댓값과 최솟값을 구할 수 있는지 알아본다. [문제 3] ● 곡선으로 둘러싸인 도형의 넓이를 정적분을 이용하여 나타낼 수 있는지 알아본다. 정적분과 미분의 관계를 이해하고 함수의 곱의 미분법을 이해하고 있는지 알아본다.

학년도	교과목	출제의도
		[문제 4] ● 역함수와 역함수의 미분을 이해하고 있는지 알아본다. 또한 삼각함수의 덧셈정리를 활용할 수 있는지, 함수의 최댓값을 구할 수 있는지 알아본다.
2023 A	수학, 수학I, 수학II, 미적분, 확률과 통계	[문제1] ● 주어진 상황을 함수로 수식화하고 미분을 이용하여 최댓값을 계산할 수 있는지 알아본다. [문제2] ● 주어진 영역의 넓이를 각도와 삼각함수를 이용해 표현하고 정적분을 정확히 계산할 수 있는지 알아본다. [문제3] ● 접선을 구하고 최댓값을 가지는 상황에 대한 방정식을 세운 후 고차방정식을 풀 수 있는지 알아본다. [문제4] ● 각의 크기가 변화할 때 이를 함수로 나타내고 변화율을 계산할 수 있는지 알아본다. 또한 미분 계산에서 합성함수의 미분을 할 수 있는지 알아본다. [문제5] ● 함수식이 주어졌을 때 이에 따라 함수가 정의된 방식을 정확히 이해할 수 있는지 알아본다. 또한 경우의 수에 대한 문제 상황을 조합 및 중복조합을 이용해 표현하고 계산할 수 있는지 알아본다.
2023 B	수학, 수학Ⅰ, 수학Ⅱ, 미적분, 확률과 통계, 기하	[문제1] ● 원의 접선에 대한 문제를 방정식을 세워 해결할 수 있는지 알아본다. 수열의 극한을 계산할 수 있는지 알아본다. [문제2] ● 경우의 수에 대한 문제 상황을 조합 및 중복조합을 이용해 표현하고 계산할 수 있는지 알아본다. [문제3] ● 각의 크기가 변화할 때 이를 함수로 나타내고 변화율을 계산할 수 있는지 알아본다. 또한 미분 계산에서 합성함수의 미분을 할수있는지 알아본다. [문제4] ● 주어진 도형의 넓이를 삼각함수를 이용해 표현하고 계산할 수 있는지 알아본다. 사인법칙과 코사인법칙을 적절히 적용할 수있는지 알아본다. [문제5] ● 주어진 상황을 사인, 코사인, 탄젠트 등 삼각함수를 적절히 활용하여 파악할 수 있는지 알아본다. 유리함수의 미분을 이용해 최솟값을 계산할 수있는지 알아본다.

학년도	교과목	출제의도
2023 모의	수학 Ⅰ, 수학 Ⅱ, 미적분	[문제 1] ● 사인법칙을 이용하여 삼각형의 넓이를 외접원의 반지름의 길이와 세 내각의 크기를 이용하여 나타내고, 미분을 활용하여 극값을 구할 수 있는지 알아본다. [문제 2] ● 삼각함수와 삼각함수의 덧셈정리를 이해하고, 이를 활용하여 문제를 해결할 수 있는지 알아본다. [문제 3] ● 무리함수의 성질을 이해하고 미분과 접선의 기울기의 관계를 이해하고 있는지 알아본다. 음함수의 미분법과 역함수의 미분을 이해하고 있는지 알아본다. [문제 4] ● 역함수와 치환적분을 이해하고 있는지 알아본다. [문제 5] ● 로그함수가 어떤 상황에서 나타나는지 이해하고 있는지 알아본다. 또한, 로그함수의 성질과 극한에 대한 이해를 알아본다.
2022 A	수학, 수학 Ⅰ, 수학 Ⅱ, 미적분, 확률과통계	[문제 1] ● 거리를 삼각함수를 이용해 계산하고 함수의 극한을 구할 수 있는지 알아본다. [문제 2] ● 다항식의 전개식을 조합으로 표현하고 조합에 관한 기본 계산을 수행할 수 있는지 알아본다. [문제 3] ● 함수가 합성함수로 주어진 경우 미분을 계산하는 원리를 이해하고 있는지 알아본다. [문제 4] ● 원이나 삼각형 등의 도형에서 길이를 삼각함수를 이용해 표현하고 삼각함수의 합의 공식과 미분에 대한 기본적인 계산을 수행할 수 있는지 알아본다.
2022 B	수학, 수학 Ⅰ, 수학 Ⅱ, 미적분, 확률과통계	[문제 1] ● 삼각함수를 이해하고 사인법칙을 이용하여 문제를 해결할 수 있는지 알아본다. [문제 2] ● 수열을 이해하고 수열의 합을 구할 수 있으며 이를 활용하여 문제를 해결할 수 있는지 알아본다. [문제 3] ● 정적분을 이용하여 도형의 넓이를 구할 수 있는지 알아본다. 합성함수 미분법과 음함수 미분법을 이용하여 미분을 구할 수 있는지 또한 삼각함수를 이용하여 문제를 해결할 수 있는지 알아본다.

학년도	교과목	출제의도
		[문제 4] ● 삼각함수와 삼각함수의 덧셈정리를 이해하고 이를 이용하여 문제를 해결할 수 있는지 알아본다
2022 모의	수학 Ⅰ, 수학 Ⅱ, 미적분	[문제 1~2] ● 삼각함수를 이해하고, 삼각함수의 미분을 활용하여 극값을 구할 수 있는지 알아본다. 정적분을 이용하여 도형의 넓이를 나타낼 수 있고 정적분과 미분의 관계를 이해하고 있는지, 미분법과 삼각함수의 덧셈정리를 활용하여 문제를 해결할 수 있는지 알아본다. ● 삼각함수를 이해하고, 삼각함수의 미분을 구할 수 있는지 알아본다. 미분을 활용하여 극값을 구하고 함수의 최솟값을 구할 수 있는지 알아본다. ● 도형의 넓이를 정적분을 이용하여 표현하고 정적분과 미분의 관계를 이해하고 있는지 알아본다. 삼각함수의 덧셈정리를 이해하고 있는지 알아본다. [문제 3~4] ● 삼각함수의 덧셈정리와 사인법칙을 이해하고 있는지 알아본다. 또한 삼각함수의 코사인법칙을 이해하고 활용하여 문제를 해결할 수 있는지 알아본다. ● 삼각함수의 사인법칙과 덧셈정리를 활용하여 문제를 해결할 수 있는지 알아본다. ● 삼각함수들 사이의 관계를 이해하고 삼각함수의 코사인법칙을 활용하여 문제를 해결할 수 있는지 알아본다.
2021 A	수학 Ⅰ, 미적분, 확률과통계	[문제 1~2] ● 수열을 이해하고 수열의 극한을 구할 수 있는지 알아본다. 삼각함수를 이해하고 활용할 수 있는 지 알아보고, 음함수의 미분법을 이해하고 활용할 수 있는지 알아본다. [문제 1] ● 수열의 극한값을 이해하고 활용하여 일차식들의 몫으로 이루어진 수열의 극한값을 구할 수 있는지 확인한다. [문제 2] ● 음함수의 미분법을 이해하고 활용하여 원의 접선의 방정식을 구할 수 있는지 확인하고 이와 함께 삼각함수를 이용하여 문제를 풀 수 있는지 확인한다. [문제 3~4] ● 지수함수와 로그함수를 이해하고 미분할 수 있는지 알아본다. 영역의 넓이를 정적분을 이용하여 구할 수 있는지 알아보고, 함성함수의 미분법과 역함수의 미분법을 이해하고 활용할 수 있는지 알아본다.

학년도	교과목	출제의도
		[문제 3] ● 지수함수와 로그함수를 이해하고 미분을 구할 수 있는지 확인한다. 이를 이용하여 함수의 최솟값을 구할 수 있는지 확인한다. [문제 4] ● 합성함수의 미분법과 역함수의 미분법을 이해하고 활용하여 문제를 풀 수 있는지 확인한다. 정적분을 이용하여 도형의 넓이를 구할 수 있는지 확인한다.
2021 B	수학 Ⅰ, 미적분, 확률과통계	[문제 1~2] ● 곡선 위의 점에서의 접선의 기울기가 미분계수임을 활용하여 관련된 문제를 풀 수 있는지 알아본다. 매개 변수로 주어진 곡선 위의 점에서의 접선의 방정식을 구하고, 직선과 곡선의 교점을 구하고, 점과 직선, 곡선 사이의 위치 관계를 수식으로 잘 기술하고 또한 풀이 과정을 논리적으로 잘 설명할 수 있는지 평가한다. [문제 1] ● 도함수를 이용하여 곡선 위의 점에서의 접선의 방정식을 잘 구할 수 있는지 알아본다. 점의 위치를 매개변수로 나타내고 미분계수가 접선의 기울기임을 활용하여 문제를 풀 수 있는지 알아본다. [문제 2] ● 도함수를 이용하여 곡선 위의 점에서의 접선의 방정식을 잘 구할 수 있는지 알아본다. 함수의 개형을 파악하고, 점의 위치에 따라 접선이 어떻게 변화하는지를 이해하고 이를 활용하여 문제를 풀 수 있는지 알아본다. [문제 3~4] ● 삼각함수를 이해하고, 삼각함수의 덧셈정리, 코사인법칙을 이해하고 활용할 수 있는지 알아본다. 여러 가지 함수의 미분법을 이해하고, 합성함수의 미분법을 활용할 수 있는지 평가한다. [문제 3] ● 미분을 이용하여 접선의 방정식을 구하고, 삼각함수와 삼각함수의 덧셈정리를 이용하여 구하고자 하는 각의 크기를 원의 반지름에 대한 식을 구한 후, 합성함수의 미분을 이용하고 활용할 수 있는지 알아본다. [문제 4] ● 삼각함수와 삼각함수의 덧셈정리와 코사인법칙을 활용하여 식을 구한 후, 합성함수의 미분법을 활용하여 최솟값을 구할 수 있는지 확인한다.

학년도	교과목	출제의도
2020	수학 I, 미적분 I, 미적분 II, 기하와 벡터	[문제 1] ● 본 문제는 타원의 방정식과 미분법을 이해하고 이를 활용하여 문제를 해결할 수 있는지를 평가한다. ● 타원의 방정식과 초점을 이해하고 이를 활용하여 초점을 지나는 선분을 빗변으로 하는 직각삼각형의 넓이를 구할 수 있는지를 평가한다. [문제2] ● 타원의 방정식과 초점을 이해하고 이를 활용하여 초점을 지나는 선분의 중점을 찾을 수 있는지를 평가한다. 미분법을 활용하여 함수의 최댓값을 찾을 수 있는지를 평가한다. [문제 3] ● 본 문제는 공간도형에서 정사영과 삼각함수 등을 활용하여 문제를 해결할 수 있는지를 평가한다. 공간도형에서 삼수선의 정리, 정사영, 삼각함수 등을 활용하여 선분의 길이를 구할 수 있는지를 평가한다. [문제 4] ● 공간도형에서 정사영을 활용하여 점과 평면 사이의 거리를 구할 수 있는지를 평가한다.

III. 논술이란?

1. 논술이란?

1) 논술이란?

어떤 문제에 대해 자기 나름의 주장이나 견해를 내세운 다음, 여러 가지 근거를 제시하여 그 주장이나 견해가 옳음을 증명하는 글쓰기 활동을 말한다. 따라서 논술의 가장 기본적인 요소는 주장과 근거이다. 다시 말해 어떤 주제에 관해서 자신의 견해를 밝히고 자기 의견을 내세우는 글이 바로 논술이다. 때문에 논술은 특별히 논리적이어야 한다는 요구를 받게 된다. 왜냐하면 여러 가지 의견이 있을 수 있는 문제에 대해 자신의 의견을 세워 다른 사람을 설득하려면, 그 주장이 충분한 근거 위에서 논리적으로 개진될 때만 가능하기 때문이다.

2) 대한민국 논술고사는?

한국에서의 대학 입시 논술고사는 실제 교과 과정과 교과서가 기본이 되어 응용된 사고와 풀이 능력과 지식을 바탕으로 한다. 논술고사는 일반적을 비판적으로 글을 읽는 능력과 창의적으로 문제를 설정하고 해결하는 능력 그리고 논리적으로 서술하는 능력을 종합적으로 평가하는 시험이다. 비판적으로 글을 읽는다는 것은 능동적으로 자신의 관점에서 글을 읽는 것을 말하며, 창의적으로 문제를 설정하고 해결하는 능력이란 심층적이고 다각적으로 논제에 접근함으로써 독창적인 사고와 풀이를 이끌어낼 수 있는 능력을 말한다. 그리고 논리적 서술 능력은 글 구성 능력, 근거 설정 능력, 표현 능력 등을 포괄한다.

3) 자연계 논술? 그리고 그 변화

모든 글은 일반적으로 3가지 종류로 나뉘어진다. 시, 소설 등 문학 작품과 같은 글쓰기인 창작적 글쓰기(creative writing)와 설명문이나 해설문의 글쓰기는 해명적 글쓰기(expository writing), 그리고 논설문의 글쓰기인 비판적 글쓰기(critical writing)가 있다. 이 글쓰기 중 대한민국의 대학입시에서 시행되고 있는 자연계 논술은 창작적 글쓰기는 포함되지 않는다. 새로운 문학 작품을 쓰는게 아니라 제시문을 읽고 내용을 구체화시켜 잘 설명하는 설명문의 형태가 있고, 주어진 문제에 대해 생각하고 깊이있는 주장을 피력하는 비판적 글쓰기도 있다.

2. 논술의 기본 용어

1) 논제 : 논술의 문제를 의미한다.
   반드시 해결하고 접근하여야 할 논술 시험의 대상이다.
   - (가) 중심 논제 : 채점할 때 가장 배점이 높으며, 핵심적으로 해결해야 할 논술의 문제
   - (나) 세부 논제 : 큰 논제 속에 포함된 작은 문제, 각 단계별 채점의 기준이 되며 세부 채점 항목으로 필수 해결 항목이다.
2) 논거 : 논술에서 설명하고 주장하는 논리적인 근거 혹은 이유
3) 주장 : 수험생이 생각하고 채점자에게 알리고 싶은 생각
4) 제시문 : 보기 지문을 말한다.
   - (가) 출제자가 논제 해결을 위해 보여주는 다양한 글
   - (나) 각종 그래프, 도표, 그림 등
   자료가 정해져 있지는 않다. 하지만 고등학교 교과서를 가장 많이 인용하고, 고등

학교 교과 과정으로 분석하고 판단할 수 있는 내용을 제시한다.

5) 개요 : 논제에 맞게 더 구체적으로는 세부 논제에 맞게 글의 진행 방향을 간략하게 정리하는 과정이다.

3. 논술의 명령어

논술고사 후 대학의 발표 자료를 보면 논술은 출제자의 의도에 부합하게 글을 써야 한다고 강조한다. 그런데 출제자의 의도를 파악하는 것은 자칫 상당히 모호하고 주관적인 것으로 판단하기 쉽다. 하지만 자연계 논술에서는 명령어가 한정되어 있다. 그 명령어들을 잘 익히고 의미를 파악한다면 훨씬 논술의 이해가 높아질 것이다. 또한 대학의 채점 기준에는 명령어의 요구 조건을 충족하는지를 평가한다. 그러므로 자연계 논술의 명령어는 수험생에게는 아주 기초적이지만 필수적이며 절대 잊지 말아야 할 중요한 핵심이다.

1) ~ 에 대해 논술하시오.

; 주장을 밝히고 근거를 제시한다.

2) ~ 에 대해 설명하시오.

: 사실, 주장 등을 쉽게 풀어서 밝힌다.

> ● ~ 제시문 간의 관련성을 설명하시오.
> ● ~ 제시문의 논리적 타당성과 문제점을 설명하시오.
> ● ~ 제시문을 참고하여 주어진 자료의 특징을 설명하시오.
> ● ~ 제시문의 관점에서 왜 그런 현상이 생기는지 그 이유를 설명하시오.

3) ~ 의 비교하시오. 혹은 대조하시오.

: 공통점과 차이점을 중심으로 설명한다.

> ● ~ 공통점과 차이점을 설명하시오.

4) ~ 을 분석하시오.

: 주제를 구성요소로 나누고 각 부분의 의미와 상호관계를 밝힌다.

5) ~ 제시문과 주어진 자료를 참고하여 현상을 예측해 보시오.

: 주어진 자료를 해석하고 자료로부터 얻을 수 있는 시간에 따른 변화나 자료의 발생 이유를 살핀다.

6) ~ 제시문의 문제점을 지적하고 그 문제점을 해결할 방법을 제시하시오.

: 보통은 수학이나 과학의 역사에서 발생했던 여러 오류나 실험과정에서 나타난 문제점을 가지고 있다. 또한 이론이나 실험, 학생의 실험보고서 등과 같이 확실한 오류가 있는 제시문을 주기도 한다. 분명히 문제점을 파악하여 답안에 서술하고 문제점이나 해결할 수 있는 방법 등을 명확히 하여야 한다.

> ● ~ 제시문의 관점에서 왜 그런 현상이 생기는지 그 원리를 설명하고 그런 현상을 예방할 수 있는 방안을 제시하시오.
> ● ~ 문제점을 지적하고 합리적 대안을 제안해 보시오.
> ● ~ 주어진 관점을 검증할 수 있는 방법을 논하시오.
> ● ~ 주어진 문제점을 해결할 수 있는 실험을 설계해 보시오.

7) 제시문의 관점에서 주장을 비판하시오.

: 어떤 주장의 타당성이나 가치 등을 평가한다.

2. 자연계 논술 글쓰기 유의사항

① 논제의 해결이 핵심이다. 출제자가 원하는 답을 써야 한다.

② 논제에 부합하는 글을 일관성 있게 써야 한다.

③ 한편의 글을 완성하여야 한다. 나열하거나 사례를 보여주는 것은 의미가 없다.

④ 제시문을 활용, 인용하는 것과 제시문을 그대로 옮겨 쓰는 것은 다르다. 적절하게 제시문의 내용을 사용하여 논제를 해결하여야 한다. 절대 제시문의 문장을 그대로 쓰면 안 된다. 금기사항이고 감점요인이다.

⑤ 부적절한 문장 즉, 비문을 만들지 말아야 한다. 주어와 서술어가 적절하게 있어 문장의 의미를 명확히 전달하여야 한다. 주어를 생략하거나 지시어를 과도하게 사용하면 문장의 의미가 모호해 진다.

⑥ 문장은 짧고 간결하게 써야 한다. 자신의 의견을 명확히 간결하고 효과적으로 밝혀야 한다.

3. 논술 확인 사항

① 시간의 제한이 시험이다. 논술 시험은 자유롭게 글을 쓴다고 생각하고 주어진 시간을 체크하지 않는 경우가 정말 많다. 대학별로 요구하는 시간에 알맞게 답안을 구성해야 한다.

② 문단의 구성, 맞춤법, 띄어쓰기 등을 무시하면 절대 안 된다. 글쓰기의 기본은 의미의 전달 과정임으로 효율적인 연습과 준비가 되어 있어야 한다.

③ 습관적으로 물어보는 의문문, 같이 할 것을 제안하는 청유형은 사용하지 않는 것이 좋다. 문법의 오류가 아니라 격을 떨어뜨리고 글을 단조롭고 어색한 글 전개가 될 가능성이 높다.

④ 500자 미만이면 서론에 해당하는 도입과정은 과감히 생략하고 바로 논점으로 들어간다.

⑤ 한국어에는 수동태가 없다. 그러나 워낙 영어 번역하며 많이 사용하다 보니 논술 답안에도 수험생들이 자주 사용한다. 문법에 맞는 효과적인 표현이 필요하다. 학생이 수험생이 대학의 논술 고사에 응시하고 답안지에 논술 답안을 쓰는 것이다. 대학의 논술 답안지가 수험생으로부터 답안으로 쓰여지는 것이 아니다.

⑥ 많은 수험생들은 착각을 한다. 논술을 멋진 글쓰기라고 생각해 감상적이거나 비유적인 표현도 많이 사용한다. 그런데 오히려 이러한 표현은 채점자가 수험생의 사고능력 파악이 힘들어지고, 오히려 논제 해결을 했는지 판단하는데 혼동을 준다. 또한 일상에서 사용하는 구어체도 사용하면 안 된다. 논술은 글쓰기에서 쓰는 조금 딱딱한 문어체를 사용하는 것이다.

⑦ 아무리 강조해도 글씨의 중요성은 지나치지 않을 것이다. 채점하는 교수님들의 한결같은 큰 애로점은 이해할 수 없는 학생의 글씨라고 한다. 글씨체를 갑자기 바꿀 수 없지만 타인이 알 수 있게 규칙적으로 줄을 맞춰 쓰고, 분량에 맞는 큰 글씨로, 흘려 쓰지 않는 정자체로 답안을 작성하여야 한다.

IV. 자연계 논술 실전

1. 각 대학별 논술 유의사항을 파악하라!

많은 대학에서 글자수 제한을 확인하여야 한다. 그래서 원고지 형이 많지만, 문항별 칸을 만들거나 밑줄 답안 형식도 있다. 논술 시험 시간은 각 대학별로 다양하다. 60분 즉, 한 시간을 시작으로 많게는 2시간까지 (120분)까지 다양하게 있다. 대학별로 준비해야 하는 중요한 이유이다. 답안을 작성하는 필기구도 다양하다. 연필(샤프펜)의 사용이 꾸준히 증가하지만 아직까지 검정색 볼펜이나 청색 볼펜으로 사용하는 학교도 많다. 주의할 것은 수정법이다. 수정은 학교에 따라 수정액, 수정테이프의 사용을 제한하는 경우도 있고 틀리면 두줄을 긋고 써야하는 곳도 있다. 그러므로 각 대학별 특징을 파악하고, 미리 답안 작성 연습은 물론이고 작성할 때도 대학별로 금지하는 내용을 숙지하고 시험장에 가야 한다.

각 대학별 유의사항 사례

사례 1)

가. 답안은 한글로 작성하되, 글자수 제한은 없다.

나. 제목은 쓰지 말고 특별한 표시를 하지 말아야 한다.

다. 제시문 속의 문장을 그대로 쓰지 말아야 한다.

라. 반드시 본 대학교에서 지급한 필기구를 사용하여야 한다.

마. 수정할 부분이 있는 경우 수정도구를 사용하지 말고 원고지 교정법에 의하여 교정하여야 한다.

바. 본 대학교에서 지급한 필기구를 사용하지 않거나, 수정도구를 사용한 경우, 답안지에 특별한 표시를 한 경우, 또는 원고지의 일정분량 이상을 작성하지 않은 경우에는 감점 또는 0점 처리한다.

사례 2)

Ⅰ. 필요한 경우 한 개 또는 여러 개의 제시문을 선택하여 논의를 전개하고, 사용한 제시문은 꼭 참고문헌 형태로 표시하시오.

　　예) …[제시문 1-4].

　　예) …되며[제시문 2-4], …의 경우는 ~을 보여준다[제시문 2-1].

Ⅱ. [문제 1]부터 [문제 4]까지 문제 번호를 쓰고 순서대로 답하시오.

Ⅲ. 연필을 사용하지 말고, 흑색이나 청색 필기구를 사용하시오.

Ⅳ. 인적사항과 관련된 표현을 일절 쓰지 마시오.

Ⅴ. 문제당 배점은 동일함.

사례 3)

◇ 각 문제의 답안은 배부된 OMR 답안지에 표시된 문제지 번호에 맞춰 작성하시오.

◇ 각 문제마다 정해진 글자수(분량)는 띄어쓰기를 포함한 것이며, 정해진 분량에 미달하거나 초과하면 감점 요인이 됩니다.

◇ 답안지의 수험번호는 반드시 컴퓨터용 수성 사인펜으로 표기하시오.

◇ 답안은 검정색 필기구로 작성하시오. (연필 사용 가능)

◇ 답안 수정시 원고지 교정법을 활용하시오. (수정 테이프 또는 연필지우개 사용 가능)

◇ 답안 내용 및 답안지 여백에는 성명, 수험번호 등 개인 신상과 관련된 어떤 내용, 불필요한 기표 하면 감점 처리됩니다.

사례 4)

```
◆ 답안 작성 시 유의사항 ◆
□ 논술고사 시간은 90분이며, 답안의 자수 제한은 없습니다.
□ 1번 문항의 답은 답안지 1면에 작성해야 하고, 2번 문항의 답은 답안지 2면에
작성해야 합니다. 1, 2번을 바꾸어 작성하는 경우 모두 '0점 처리'됩니다.
□ 연습지는 별도로 제공하지 않습니다. 필요한 경우 문제지의 여백을 이용하시기
바랍니다.
□ 답안은 검정색 또는 파란색 펜으로만 작성하며 연필, 샤프는 사용할 수 없습니다.
□ 답안 수정은 수정할 부분에 두 줄로 긋거나 수정테이프(수정액은 사용 불가)를
사용해서 수정합니다.
□ 답안지에는 답 이외에 아무 표시도 해서는 안 됩니다.
□ 답안지 교체는 고사 시작 후 70분까지 가능하며, 그 이후는 교체가 불가합니다.
```

2. 제시문에 먼저 눈을 두지 말고 문제를 파악하라!!!

대학별 고사인 논술의 어려운 점은 시간의 제한이 있는 글쓰기 시험이라는 것이다. 자유롭게 잘 쓸 수 있는 내용일지라도 시간의 제한이 있으면 애기가 달라진다. 특히 지금과 같이 각 대학별로 다양하게 등장하는 시험에 익숙하지 않은 수험생에게는 더 큰 부담으로 작용을 한다.

대학에서는 다양하게 제시문과 문제를 분포시킨다. 문제를 등장시키고 제시문이 등장하는 경우, 그림과 도표, 그래프 등과 같이 자료를 제시하고 제시문과 문제를 함께 등장시키는 경우, 제시문을 많이 등장시키고 마지막에 문제를 제시하는 경우 등... 이렇듯 다양한 문제에 시간의 적절한 활용은 대학별 고사의 실전에서는 당락을 결정하는 중요 요소이다.

이러한 실전적 논술에서 핵심은 바로 목적을 가지고 제시문의 읽기가 선행되어야 한다. 글 읽기의 핵심은 문제를 통해 논제를 구체적으로 파악하고 그 논제에 부합하게 제시문을 분석하는 것이다.

```
① 문제를 먼저 확인하라!! - 제시문을 읽고 문제를 보면 다시 긴 제시문을 또 읽어 시간을 낭비한
다.
② 세부 논제 확인하라!! - 한 문제라도 그 문제 속에 다루는 논제는 여러 개가 될 수 있다. 그 질
문 내용을 파악하라. 그리고 요구한 논제에 맞게 글을 구성한다.
③ 전제적 요건 파악하라!! - 각 문제의 전제적 요건 및 글로 표현된 부연 설명 등이 중요한 키워
드가 될 수 있다.
```

V. 건국대학교 기출

1. 2024학년도 건국대 수시 논술 A

[제시문 1]

(가) $x = a$에서 $x = b$까지의 곡선 $y = f(x)$의 길이 l은

$$l = \int_a^b \sqrt{1 + \{f'(x)\}^2}\, dx$$

(나) 그림에서 S는 중심이 점 $\left(0, \dfrac{\sqrt{13}}{3}\right)$이고 반지름이 1인 원이다. 원점에서 바라볼 때 점 A, B는 원 S에 가려져서 보이지 않고 점 C, D는 보인다.

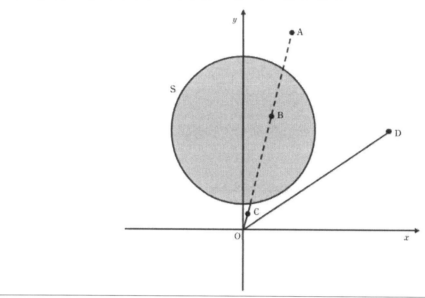

[문제 1] (나)에서 원점에서 제 1사분면의 곡선 $y = \dfrac{1}{6}x^3 + \dfrac{1}{2x}$ 위에 있는 점들을 바라볼 때, 원 S에 의해서 가려지지 않고 보이는 점들로 이루어진 곡선 $y = \dfrac{1}{6}x^3 + \dfrac{1}{2x}$의 부분의 길이를 구하고 풀이 과정을 쓰시오. [15점]

[제시문 2]

(가) n개 중에서 서로 같은 것이 각각 p개, q개, $\cdots$, r개씩 있을 때, n개를 일렬로 나열하는 순열의 수는

$$\frac{n!}{p! \times q! \times \cdots \times r!} \ (\text{단, } p+q+\cdots+r=n)$$

(나) [조건 1] 또는 [조건 2]를 만족하도록 문자 A 3개, B 4개, C 3개, D 2개로 이루어진 12개의 문자 A, A, A, B, B, B, B, C, C, C, D, D를 왼쪽부터 일렬로 나열하자.

    [조건 1] 문자 D는 연속하여 나오지 않는다.

        예를 들어, ABBCADABBCCD는 [조건 1]을 만족하고, ABBCADDABBCC는 [조건 1]을 만족하지 않는다.

    [조건 2] 처음 나오는 문자 A가 처음 나오는 문자 B보다 먼저 나온다.

        예를 들어, CDACBBBBAACD는 [조건 2]를 만족하고, CDBAAABBBCDC는 [조건 2]를 만족하지 않는다.

[문제 2] 다음 물음에 답하시오. [20점]

(1) (나)에서 [조건 1]을 만족하도록 나열하는 방법의 수를 구하고 풀이 과정을 쓰시오.

(2) (나)에서 [조건 2]를 만족하도록 나열하는 방법의 수를 구하고 풀이 과정을 쓰시오.

(가) 두 함수 $y = f(x)$, $y = g(x)$가 닫힌구간 $[a, b]$에서 연속일 때,
두 곡선 $y = f(x)$, $y = g(x)$와 두 직선 $x = a$, $x = b$로 둘러싸인 도형의 넓이 S는

$$S = \int_a^b |f(x) - g(x)| dx$$

이다.

(나) 그림에서 색칠된 도형은 두 곡선 $y = e^{2x}$, $y = e^{-(x-t)} + 1$과 y축으로 둘러싸인 도형이고, $S(t)$는 이 도형의 넓이이다. (t는 양의 실수)

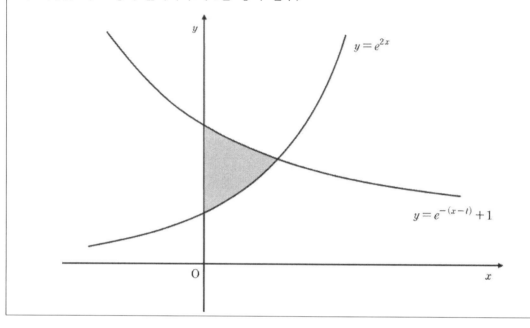

[문제 3] (나)에서 $t = \ln 6$에서의 미분계수 $S'(\ln 6)$을 구하고 풀이 과정을 쓰시오. [30점]

[제시문 4]

(가) 좌표평면 위에서 x축의 양의 방향을 시초선으로 잡았을 때, 일반각 θ를 나타내는 동경과 원점 O를 중심으로 하고 반지름의 길이가 r인 원의 교점을 $P(x, y)$라 하면 $\dfrac{y}{r}$, $\dfrac{x}{r}$, $\dfrac{y}{x}(x \neq 0)$의 값은 r의 값과 관계없이 θ의 값에 따라 각각 하나로 정해진다. 이 함수를 차례로 θ에 대한 사인함수, 코사인함수, 탄젠트함수라 하고, 기호를 각각 $\sin\theta = \dfrac{y}{r}$, $\cos\theta = \dfrac{x}{r}$, $\tan\theta = \dfrac{y}{x}(x \neq 0)$로 정의하고, 이 함수들을 통틀어 θ에 대한 삼각함수라 한다.

(나) 그림에서 도형 A는 네 점 $(0, 0)$, $(1, 0)$, $(1, 1)$, $(0, 1)$이 꼭짓점인 정사각형이다. 점 P는 제 2사분면의 점으로 중심이 원점이고 반지름이 3인 원 위에 있다. α는 점 P에서 A를 바라본 각의 크기이다.

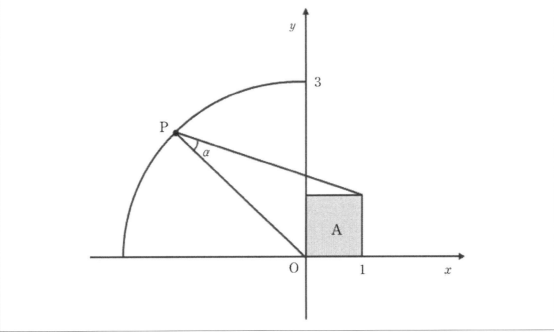

[문제 4] (나)에서 $\cos\alpha$가 최소가 될 때의 점 P의 좌표와 $\cos\alpha$를 구하고 풀이 과정을 쓰시오. [35점]

모집 단위

성   명

생년월일 (예 : 050512)

【문제 1】 이 답안 영역에는 1번 문항에 대한 답을 작성하시오.

【문제 2】 이 답안 영역에는 2번 문항에 대한 답을 작성하시오.

이 줄 아래에 답안을 작성하거나 낙서할 경우 판독이 불가능하여 채점 불가

30

【문제 3】 이 답안 영역에는 3번 문항에 대한 답을 작성하시오.

【문제 4】 이 답안 영역에는 4번 문항에 대한 답을 작성하시오.

답안작성란 밖에 작성된 내용은 채점 대상에서 제외

2. 2024학년도 건국대 수시 논술 B

[제시문 1]

(가) 함수 $f(x)$가 $x = a$에서 극값을 갖고 a를 포함하는 어떤 열린구간에서 미분가능하면 $f'(a) = 0$이 성립한다.

(나) 그림에서 색칠된 도형 R는 제 1사분면에 있고 다음 곡선들로 둘러싸여 있다.

$$x = t, \quad x^2 + y^2 = 1, \quad (x-t)^2 + y^2 = (1-t)^2$$

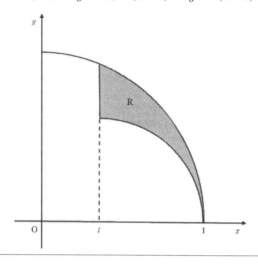

[문제 1] (나)에서 $t = \dfrac{1}{2}$일 때의 도형 R의 넓이를 구하고, 도형 R의 넓이가 최대가 될 때의 t의 값을 구하시오. 풀이 과정도 쓰시오. [15점]

[제시문 2]

(가) n개 중에서 서로 같은 것이 각각 p개, q개, $\cdots$, r개씩 있을 때, n개를 일렬로 나열하는 순열의 수는

$$\frac{n!}{p! \times q! \times \cdots \times r!} \ (단, \ p+q+\cdots+r=n)$$

(나) [조건 1] 또는 [조건 2]를 만족하도록 문자 A 3개, B 5개, C 3개로 이루어진 11개의 문자 A, A, A, B, B, B, B, B, C, C, C를 왼쪽부터 일렬로 나열하자.

　　[조건 1] 문자 C 바로 다음에는 항상 문자 B가 이웃하여 나온다.
　　　　　예를 들어, ACBBCBCBABA는 [조건 1]을 만족하고, ACBBCBCABBA는 [조건 1]을 만족하지 않는다.
　　[조건 2] 문자 A 바로 다음에는 문자 B가 이웃하여 나오지 않는다.
　　　　　예를 들어, BACBACBBCBA는 [조건 2]를 만족하고, BACBACABBCB는 [조건 2]를 만족하지 않는다.

[문제 2] 다음 물음에 답하시오. [20점]

(1) (나)에서 [조건 1]을 만족하도록 나열하는 방법의 수를 구하고 풀이 과정을 쓰시오.

(2) (나)에서 [조건 2]를 만족하도록 나열하는 방법의 수를 구하고 풀이 과정을 쓰시오.

(가) 반지름의 길이가 r이고 중심각의 크기가 θ인 부채꼴의 넓이는 $\dfrac{1}{2}r^2\theta$이다.

(나) 그림에서 한 원은 중심이 원점이고 반지름이 1이며, 다른 원은 중심이 점 $(t,\,0)$이고 반지름이 t이다. 두 원의 내부의 공통 부분의 넓이가 $S(t)$이다.

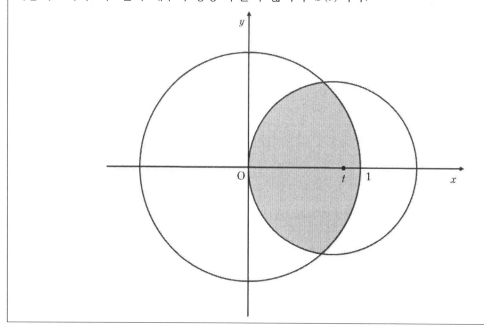

[문제 3] (나)에서 $t=1$에서의 미분계수 $S'(1)$의 값을 구하고 풀이 과정을 쓰시오. [30점]

[제시문 4]

(가) 좌표평면 위의 두 점 $A(x_1, y_1)$, $B(x_2, y_2)$ 사이의 거리는 $\overline{AB} = \sqrt{(x_2 - x_1)^2 + (y_2 - y_1)^2}$

(나) 그림에서 점 P는 중심이 점 $(1, 8)$이고 반지름이 1인 원 위에 있다. 점 A와 점 B는 포물선 $y = x^2$과 직선 $y = 2x + t$의 교점으로 점 A는 제 2사분면에 점 B는 제 1사분면에 있다. (t는 양의 실수)

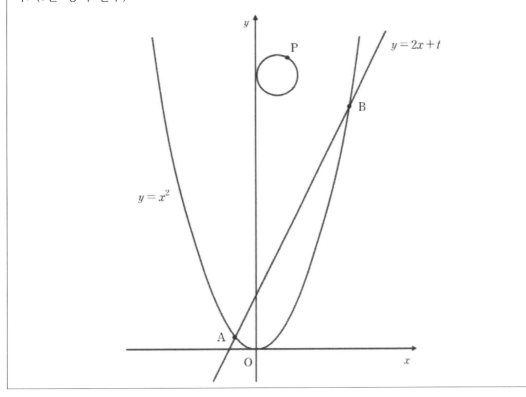

[문제 4] (나)에서 $\overline{AP}^2 + \overline{BP}^2$의 값이 최소가 될 때의 점 A의 좌표를 구하고 풀이 과정을 쓰시오. [35점]

모집단위

성 명

수 험 번 호			2	1	8				

생년월일 (예 : 050512)

【문제 1】 이 답안 영역에는 1번 문항에 대한 답을 작성하시오.

【문제 2】 이 답안 영역에는 2번 문항에 대한 답을 작성하시오.

이 줄 아래에 답안을 작성하거나 낙서할 경우 판독이 불가능하여 채점 불가

【문제 3】 이 답안 영역에는 3번 문항에 대한 답을 작성하시오.

【문제 4】 이 답안 영역에는 4번 문항에 대한 답을 작성하시오.

답안작성란 밖에 작성된 내용은 채점 대상에서 제외

3. 2024학년도 건국대 모의 논술

[제시문 1]

(가) 삼각형 ABC에서 $c^2 = a^2 + b^2 - 2ab\cos C$이 성립한다.

(나) 함수 $f(x)$가 $x = a$에서 미분가능하고 $x = a$에서 극값을 가지면 $f'(a) = 0$이다.

(다) [그림 1]에서 삼각형 ABC의 세 변의 길이는 각각 $\overline{AB} = 6$, $\overline{BC} = 7$, $\overline{AC} = 5$이다. 세 점 P, Q, R는 각각 변 AB, AC, BC위의 점이고 $\overline{AP} = 3$이다.

(라) [그림 2]에서 삼각형 ABC의 세 변의 길이는 각각 $\overline{AB} = 6$, $\overline{BC} = 7$, $\overline{AC} = 5$이다. 점 $P(\neq A)$는 변 AB위의 점이고 점 $Q(\neq A)$는 변 AC위의 점이다.

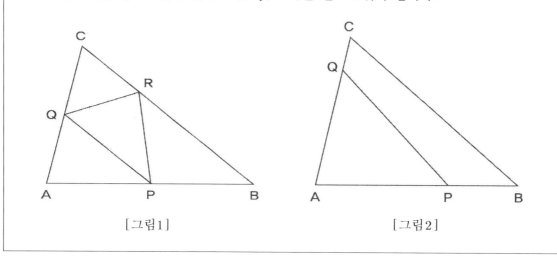

[그림1] [그림2]

[문제 1] (다)에서 두 삼각형 APQ, PBR의 넓이가 각각 삼각형 ABC의 넓이의 $\frac{1}{4}$, $\frac{1}{3}$배일 때, 삼각형 CQR의 넓이를 구하고 풀이 과정을 쓰시오. [15점]

[문제 2] (라)에서 선분 PQ가 삼각형 ABC의 넓이를 이등분할 때, 선분 PQ의 길이가 가질 수 있는 값 중 가장 큰 것과 작은 것을 구하고 풀이 과정을 쓰시오. [30점]

[제시문 2]

(가) 함수 $f(x)$가 닫힌구간 $[a, b]$에서 연속일 때, 곡선 $y=f(x)$와 x축 및 두 직선 $x=a$, $x=b$로 둘러싸인 도형의 넓이 S는 다음과 같다.

$$S = \int_a^b |f(x)|dx$$

(나) 함수 $f(x)$가 닫힌구간 $[a, b]$에서 연속이면 이 구간에서 반드시 최댓값과 최솟값을 갖는다. 이때 구간에서 극값과 $f(a)$, $f(b)$중에서 가장 큰 값이 $f(x)$의 최댓값이고, 가장 작은 값이 $f(x)$의 최솟값이다.

(다) [그림 3]은 원점을 지나는 곡선 $y=f(x)$를 나타낸 것이다. 함수 $f(x)$는 미분가능한 함수이고 $f(-2)=20$과 $f'(-2)=-2$를 만족한다. $x=t$일 때 곡선 $y=f(x)$와 만나고 원점을 지나는 직선을 l이라 하자. (단, $t<0$)

(라) [그림 4]는 $0 \leq x \leq \dfrac{\pi}{3}$에서 정의된 두 $g(x) = \dfrac{1}{2}\tan x$, $h(x) = \sin x$, $0 \leq x \leq \dfrac{\pi}{3}$의 그래프를 그린 것이다.

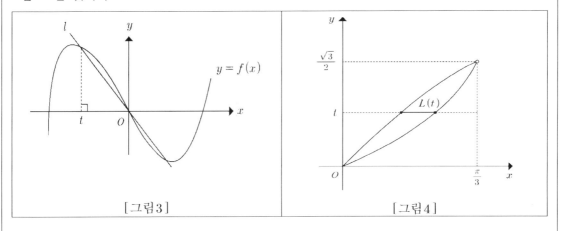

[그림3]　　　　　[그림4]

[문제 3] (서술형) (다)에서 닫힌구간 $[t, 0]$에서 위에서 곡선 $y=f(x)$와 직선 l로 둘러싸인 색칠한 도형의 넓이를 $S(t)$라 하자. $S'(-2)$를 구하고 풀이 과정을 쓰시오. [20점]

[문제 4] (서술형) (라)에서 직선 $y=t\left(0 \leq t \leq \dfrac{\sqrt{3}}{2}\right)$가 두 함수 $y=g(x)$와 $y=h(x)$의 그래프와 만나는 두 점을 잇는 선분의 길이를 $L(t)$라 하자. $\tan L\left(\dfrac{1}{4}\right)$의 값과 $L(t)$가 최대가 될 때의 t^2의 값을 구하고 풀이 과정을 쓰시오. [35점]

모 집 단 위

성 명

수 험 번 호
2 1 8

생년월일 (예 : 050512)

【문제 1】 이 답안 영역에는 1번 문항에 대한 답을 작성하시오.

【문제 2】 이 답안 영역에는 2번 문항에 대한 답을 작성하시오.

이 줄 위에 답안을 작성하거나 낙서할 경우 판독이 불가능하여 채점 불가

【문제 3】 이 답안 영역에는 3번 문항에 대한 답을 작성하시오.

【문제 4】 이 답안 영역에는 4번 문항에 대한 답을 작성하시오.

답안작성란 밖에 작성된 내용은 채점 대상에서 제외

이 줄 아래에 답안을 작성하거나 낙서할 경우 판독이 불가능하여 채점 불가

4. 2023학년도 건국대 수시 논술 1차

[제시문 1]

(가) 함수 $f(x)$가 $x=a$에서 미분가능하고 $x=a$에서 극값을 가지면 $f'(a)=0$이다.

(나) 그림에서 점 A는 원 $x^2+6x+y^2-8y=0$과 원 $x^2-2x+y^2=0$의 교점이다. 점 A를 지나는 직선이 두 원과 만나는 점이 각각 X, Y이다. (단, X, Y는 A가 아닌 점이다.)

[문제 1] (나)에서 $\overline{XY}$의 최댓값을 구하고 풀이 과정을 쓰시오. [10점]

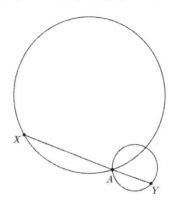

[제시문 2]

(가) 반지름의 길이가 r이고 중심각의 크기가 θ인 부채꼴의 넓이는 $S=\dfrac{1}{2}r^2\theta$이다.

(나) 그림에서 두 원의 반지름의 길이는 1이고 중심 사이의 거리는 x이다. 두 원 내부의 공통 부분의 넓이를 $A(x)$라고 하자.

[문제 2] (나)에서 정적분 $\displaystyle\int_0^2 A(x)dx$의 값을 구하고 풀이 과정을 쓰시오. [15점]

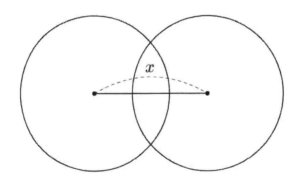

(가) 함수 $f(x)$가 $x=a$에서 미분가능할 때, 곡선 $y=f(x)$위의 점 $P(a, f(a))$에서의 접선의 기울기는 미분계수 $f'(a)$와 같다.

(나) 그림에서 점 X는 곡선 $y=\dfrac{\sqrt{2}}{4}x^2$위의 점이고 점 A, B는 x축 위에 있다.

[문제 3] (나)에서 점 A, B의 좌표가 각각 $(2, 0)$, $(4, 0)$일 때 $\sin(\angle AXB)$의 **최댓값**을 구하고 풀이 과정을 쓰시오. [20점]

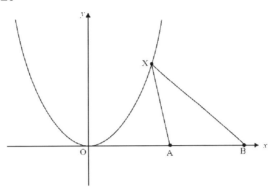

[제시문 4]

(가) 두 함수 $f(x)$, $g(x)$가 미분가능할 때, 합성함수 $y=f(g(x))$의 도함수는 $y'=f'(g(x))g'(x)$이다.

(나) 그림에서 C_1, C_2는 중심이 O인 동심원이고 C_1의 반지름은 r, C_2의 반지름은 R이다. 직선 l_1은 원 C_1과 점 P에서 접한다. 직선 l_2는 점 O를 지나고 l_1과 평행하다. 점 S는 원 C_2를 따라 돌고 있다. 시각 t일 때 직선 l_2와 직선 OS가 이루는 각의 크기가 t이고, θ는 직선 l_1과 직선 PS가 이루는 각의 크기이다.

[문제 4] (나)에서 $R=4r$라고 하자. $\theta=0$일 때의 $\dfrac{d\theta}{dt}$와 $\theta=\dfrac{\pi}{2}$일 때의 $\dfrac{d\theta}{dt}$를 모두 구하고 풀이 과정을 쓰시오. [25점]

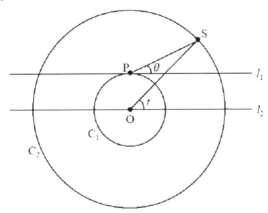

[제시문 5]

(가) 실수 x에 대하여 x보다 크지 않은 최대의 정수를 $[x]$로 나타내자. 예를 들어 $[4]=4$이고 $\left[\dfrac{21}{5}\right]=4$이다.

(나) 자연수 n에 대하여 함수 $f(n)$은 다음과 같이 정의한다.

$$f(n)=\sum_{k=1}^{\infty}\left[\frac{n}{10^k}\right]$$

예를 들어, $f(123)=\left[\dfrac{123}{10}\right]+\left[\dfrac{123}{10^2}\right]+\left[\dfrac{123}{10^3}\right]+\cdots=12+1+0+\cdots=13$이다.

[문제 5] (나)에서 정의된 함수 $f(n)$을 이용하여 함수 $g(n)$을 다음과 같이 정의한다.
$$g(n)=f(10n)-10f(n)$$
다음을 만족하는 자연수 n의 개수를 구하고 풀이 과정을 쓰시오.
$$g(n)=8, \quad 1\le n\le 6200$$

[30점]

모집단위

성 명

수 험 번 호									
			2	1	8				

생년월일 (예 : 050512)

【문제 1】 이 답안 영역에는 1번 문항에 대한 답을 작성하시오.

【문제 2】 이 답안 영역에는 2번 문항에 대한 답을 작성하시오.

【문제 3】 이 답안 영역에는 3번 문항에 대한 답을 작성하시오.

【문제 4】 이 답안 영역에는 4번 문항에 대한 답을 작성하시오.

답안작성란 밖에 작성된 내용은 채점 대상에서 제외

【문제 5】 이 답안 영역에는 3번 문항에 대한 답을 작성하시오.

답안작성란 밖에 작성된 내용은 채점 대상에서 제외

5. 2023학년도 건국대 수시 논술 2차

(가) 수열 $\{a_n\}$에서 n의 값이 한없이 커질 때, a_n의 값이 일정한 값 α에 한없이 가까워지면 수열 $\{a_n\}$은 α에 수렴한다고 하고

$$\lim_{n \to \infty} a_n = \alpha$$

와 같이 나타낸다.

(나) 그림에서 반지름의 길이가 1인 원 O가 평행한 직선 l_1, l_2사이에 놓여 있다. 두 직선 l_1, l_2는 각각 원의 중심 O로부터의 거리가 2이다. 점 A_0은 점 O에서 직선 l_1에 내린 수선의 발이고, 자연수 n에 대하여 점 A_n은 직선 l_1위에 있고 A_0와의 거리가 n이다. 점 A_n에서 원에 그은 두 접선이 직선 l_2와 만나는 두 점 사이의 거리가 d_n이다.

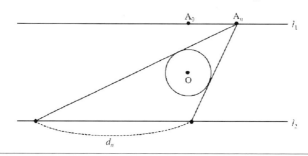

[문제 1] (나)에서 주어진 수열 $\{d_n\}$에 대하여 $\lim_{n \to \infty} \dfrac{d_n}{n}$을 구하고 풀이 과정을 쓰시오. **[10점]**

(가) 서로 다른 n개에서 r개를 택하는 조합의 수는 $_nC_r = \dfrac{n!}{r!(n-r)!}$ 이고, 중복조합의 수는 $_nH_r = {}_{n+r-1}C_r$ 이다.

(나) 서로 구별되지 않는 구슬들을 다섯 개의 상자 A, B, C, D, E에 다음 조건을 모두 만족하도록 넣으려 한다.

① 각 상자에 1개 이상의 구슬을 넣는다.
② 상자 A와 B에는 각각 홀수 개의 구슬을 넣는다.
③ 상자 C와 D에는 각각 짝수 개의 구슬을 넣는다.
④ 상자 E에 넣는 구슬의 개수는 5의 배수이다.

[문제 2] (나)에서 제시한 방법으로 서로 구별되지 않는 40개의 구슬을 상자에 넣는 방법의 수를 구하고 풀이 과정을 쓰시오. [15점]

(가) 평면 위를 움직이는 점 P의 시각 t에서의 위치를 t의 함수 $x=f(t)$, $y=g(t)$로 나타내었을 때, 시각 t에서 점 P의 속도는 $(f'(t),\ g'(t))$로 나타내며, 속력은 $\sqrt{f'(t)^2+g'(t)^2}$ 이다.

(나) 그림에서 두 점 A, B사이의 거리가 1이고 평면 위를 움직이는 점 P에 대해, 시각 t에서 $\angle PAB=\theta_1$, $\angle PBA=\theta_2$이다.

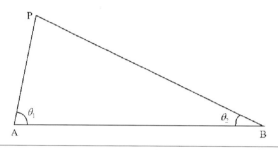

[문제 3] (나)에서 $t=0$일 때 $\theta_1=\dfrac{\pi}{2}$, $\theta_2=\dfrac{\pi}{4}$, $\dfrac{d\theta_1}{dt}=\dfrac{1}{3}$, $\dfrac{d\theta_2}{dt}=0$이라고 하자. $t=0$에서 P의 속력을 구하고 풀이 과정을 쓰시오. [20점]

[제시문 4]

(가) 삼각형 ABC의 외접원의 반지름의 길이가 R라고 하면 다음이 성립한다.

$$\frac{a}{\sin A} = \frac{b}{\sin B} = \frac{c}{\sin C} = 2R$$
$$a^2 = b^2 + c^2 - 2bc \cos A$$

(나) 그림에서 점 D, E, F는 각각 변 BC, AB, AC위의 점으로 직선 DE는 변 AC에 평행하고 직선 DF는 변 AB에 평행하다. 점 O, O_1, O_2는 각각 삼각형 ABC, BDE, DCF의 외접원의 중심이다.

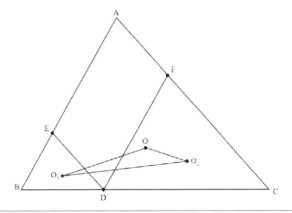

[문제 4] (나)에서 $\overline{AB} = 4$, $\overline{AC} = 5$, $\overline{BC} = 6$이고 $\overline{BD} : \overline{DC} = 1 : 2$일 때 삼각형 OO_1O_2의 넓이를 구하고 풀이 과정을 쓰시오. [25점]

(가) 함수 $f(x)$가 $x=a$에서 미분가능하고 $x=a$에서 극값을 가지면 $f'(a)=0$이다.

(나) 그림에서 직선 l_1과 l_2는 평행하다. A, B, C는 l_1위의 세 점이고, 점 O는 점 B에서 직선 l_2에 내린 수선의 발이다. 직선 l_2위의 점 P는 점 O의 아래쪽에 있다. 직선 BP와 수직인 직선 l_3가 선분 AP, BP, CP와 각각 A′, B′, C′에서 만난다. $\overline{BC}=1$이고 $\overline{BO}=2$이다.

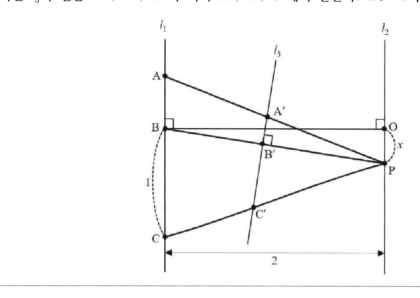

[문제 5] (나)에서 $\overline{OP}=x$일 때 $\dfrac{\overline{A'B'}}{\overline{A'C'}}$와 $\dfrac{\overline{AB}}{\overline{AC}}$의 비 $\dfrac{\dfrac{\overline{A'B'}}{\overline{A'C'}}}{\dfrac{\overline{AB}}{\overline{AC}}}$는 x에 대한 식으로 표현된다. 이 식을 $f(x)$라 할 때 $f(x)$가 최소 가 되는 x의 값을 구하고 풀이 과정을 쓰시오. [30점]

모집단위

성 명

		수 험 번 호						
		2	1	8					

생년월일 (예 : 050512)

【문제 1】 이 답안 영역에는 1번 문항에 대한 답을 작성하시오.

【문제 2】 이 답안 영역에는 2번 문항에 대한 답을 작성하시오.

이 줄 아래에 답안을 작성하거나 낙서할 경우 판독이 불가능하여 채점 불가

53

【문제 3】 이 답안 영역에는 3번 문항에 대한 답을 작성하시오.

【문제 4】 이 답안 영역에는 4번 문항에 대한 답을 작성하시오.

답안작성란 밖에 작성된 내용은 채점 대상에서 제외

답안지 바코드

【문제 5】 이 답안 영역에는 3번 문항에 대한 답을 작성하시오.

답안작성란 밖에 작성된 내용은 채점 대상에서 제외

6. 2023학년도 건국대 모의 논술

[제시문 1]

[가] 사인법칙을 이용하면 삼각형의 넓이를 외접원의 반지름의 길이와 세 내각의 크기를 이용하여 나타낼 수 있다.

[나] 함수 $f(x)$가 $x=a$에서 미분가능하고 $x=a$에서 극값을 가지면 $f'(a)=0$이다.

[다] [그림1]은 반지름의 길이가 1인 원에 내접하는 오각형 ABCDE를 나타낸 것으로, 그림에서 $\angle BEC = 29°$, $\angle DBE = 30°$, $\angle CAD = 31°$이고 대각선 AD와 BE는 점 F에서 만난다.

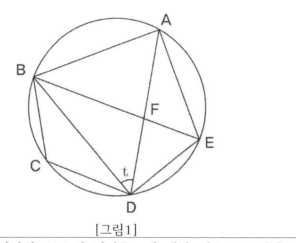

[그림1]

[문제 1] $\angle ADB = t$일 때, 삼각형 ABD의 넓이를 t에 대한 식으로 표시하고 최댓값을 구하되 풀이 과정을 쓰시오. [10점]

[문제 2] 제시문 1의 (다)에서 오각형 ABCDE의 외접원의 중심을 O라 할 때, $\overline{OF} = \dfrac{1}{3}$이다. $\angle ADB$의 크기 t가 $30°$보다 클 때, $\tan t$의 값을 구하고 풀이 과정을 쓰시오. [15점]

[제시문 2]

[가] 함수 $y = f(x)$가 $x = a$에서 미분가능할 때, 곡선 $y = f(x)$위의 점 $(a, f(a))$에서의 접선의 기울기는 $f'(a)$이다.

[나] 미분가능한 함수 $g(t)$에 대하여 $x = g(t)$로 놓으면 $\int f(x)dx = \int f(g(t))g'(t)dt$이다.

[다] [그림2]는 y축 위에 있는 임의의 점 $P(0, t)(t > 0)$와 아래의 조건을 만족하는 점 Q를 표시한 것이다.
곡선 $y = \sqrt{x}$의 점 Q에서 접선이 직선 PQ에 수직이다.

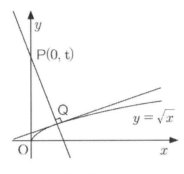

[그림2]

이때, 점 Q의 x좌표를 $f(t)$라 하고 $f(0) = 0$이라 하자.

[문제 3] 미분계수 $f'(3)$의 값을 구하되 풀이 과정을 쓰시오. [20점]

[문제 4] 정적분 $\int_0^3 f(t)dt$를 구하되 풀이 과정을 쓰시오. [25점]

[제시문 3]

[가] 수열 $\{a_n\}$에서 n의 값이 한없이 커질 때, a_n의 값이 일정한 값 α에 한없이 가까워지면 수열 $\{a_n\}$은 α에 수렴한다고 한다. 이때 α를 수열 $\{a_n\}$의 극한값 또는 극한이라 하고, 이것을 기호로 $\lim\limits_{n \to \infty} a_n = \alpha$와 같이 나타낸다.

[나] 두 자연수 m과 $n(m < n)$에 대하여 부등식 $m \le x \le n$을 만족하는 모든 자연수 x들의 집합을 $S(m, n)$이라 하자. 집합 $S(m, n)$의 원소 p에 대하여 두 자연수 m, n의 평균 $\dfrac{m+n}{2}$ 이하인 가장 큰 자연수를 l이라 할 때, 집합 $S(m, n)$을 두 부분집합 $S(m, l)$과 $S(l+1, n)$으로 나눈 후, 이 중 p를 포함하는 집합을 택하는 작업을 " p찾기"라 부르자.

자연수 m이 주어졌을 때, 1부터 m까지 자연수 중 하나의 수 p를 정한다. 집합 $S(1, m)$에 p찾기를 하여 얻은 부분집합에 p찾기를 다시 적용한다. 이런 작업을 계속하여 부분집합 $\{p\}$를 얻을 때까지 반복한다. 예를 들어 $m = 5$일 경우,

(1) $p = 4$이면 $S(1, 5) \supset S(4, 5) \supset S(4, 4) = \{4\}$이므로 4찾기를 두 번 적용하면 집합 $\{4\}$를 얻을 수 있고,

(2) $p = 2$이면 $S(1, 5) \supset S(1, 3) \supset S(1, 2) \supset S(2, 2) = \{2\}$이므로 2찾기를 세 번 적용하면 집합 $\{2\}$를 얻을 수 있다.

[문제 5] 자연수 m에 대하여 1부터 m까지 자연수 중 하나의 수 p를 골랐을 때, 집합 $\{p\}$를 얻기까지 수행해야하는 p찾기의 횟수를 m_p라 하자. m_1, $\cdots$, m_m 중 가장 큰 수를 $f(m)$이라 할 때, 다음 극한값을 구하고 풀이 과정을 쓰시오. 참고로 $f(5) = 3$이다. [30점]

$$\lim_{n \to \infty} \frac{f(n^3)}{f(n^2)}$$

모집 단위

성   명

수 험 번 호									
			2	1	8				

생년월일 (예 : 050512)

【문제 1】 이 답안 영역에는 1번 문항에 대한 답을 작성하시오.

【문제 2】 이 답안 영역에는 2번 문항에 대한 답을 작성하시오.

【문제 3】 이 답안 영역에는 3번 문항에 대한 답을 작성하시오.

【문제 4】 이 답안 영역에는 4번 문항에 대한 답을 작성하시오.

답안작성란 밖에 작성된 내용은 채점 대상에서 제외

【문제 5】 이 답안 영역에는 3번 문항에 대한 답을 작성하시오.

답안작성란 밖에 작성된 내용은 채점 대상에서 제외

7. 2022학년도 건국대 수시 논술 A

[제시문 1]

(가) 함수 $f(x)$에서 x의 값이 한없이 커질 때, $f(x)$의 값이 일정한 값 L에 한없이 가까워지면 함수 $f(x)$는 L에 수렴한다고 하고, 이것을 기호로 $\lim\limits_{x \to \infty} f(x) = L$과 같이 나타낸다.

(나) n이 자연수일 때, 다음 식이 성립한다.
$$(a+b)^n = {}_nC_0 a^n + {}_nC_1 a^{n-1}b + {}_nC_2 a^{n-2}b^2 + \cdots + {}_nC_k a^{n-k}b^k + \cdots + {}_nC_n b^n$$

(다) [그림 1]은 반지름이 같은 원 O_1과 O_2를 나타낸 것이다. 평행한 직선 l_1과 l_2는 각각 점 A_1, A_2에서 원 O_1, O_2에 접한다

(라) $(5+2x)^{60}$을 전개했을 때 x^k의 계수를 a_k라 하자. 즉,
$$(5+2x)^{60} = a_0 + a_1 x + a_2 x^2 + \cdots + a_k x^k + \cdots + a_{60} x^{60}$$

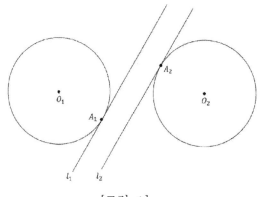

[그림 1]

문제 1

제시문 1의 (다)에서 직선 l_1과 l_2사이의 거리는 1로 일정하며, 두 원의 반지름은 r이고 $\overline{O_1 O_2} = 3r$이다.

극한값 $\lim\limits_{r \to \infty} \dfrac{\overline{A_1 A_2}}{\overline{O_1 O_2}}$를 구하고 풀이 과정을 쓰시오.

문제 2

제시문 1의 (라)에서 계수 $a_k (0 \le k \le 60)$중 가장 큰 것을 a_p, 두 번째로 큰 것을 a_q라 하자. p와 q를 구하고 풀이 과정을 쓰시오.

(가) 점 (x_1, y_1)을 지나고 기울기가 m인 직선의 방정식은 $y - y_1 = m(x - x_1)$이다.

(나) 다음 그림에서 동경 OP가 나타내는 각의 크기를 θ라고 할 때,

$\sin\theta = \dfrac{y}{r}$, $\cos\theta = \dfrac{x}{r}$, $\tan\theta = \dfrac{y}{x}(x \neq 0)$이다.

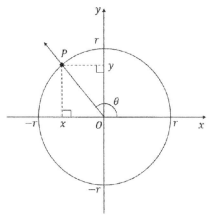

(다) [그림 2]는 곡선 $y = x^2$과 점 $(-1, 0)$을 지나는 직선 l을 나타낸 것이다. 곡선 $y = x^2$과 직선 l은 두 점 A와 B에서 만난다. 점 O는 원점이다.

(라) [그림 3]은 반지름이 2인 원과 그 원에 내접하는 사각형 $CDEF$를 나타낸 것이다. 대각선 CE와 DF의 교점이 P이다.

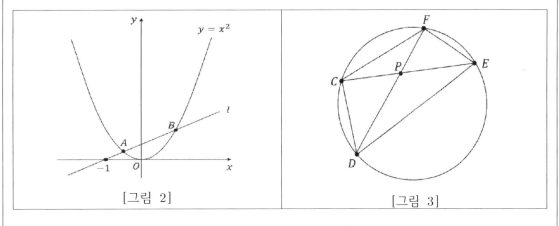

| [그림 2] | [그림 3] |

문제 3

제시문 2의 (다)에서 직선 l의 기울기가 t일 때 $\angle AOB$의 크기를 $\theta(t)$라 하자. 미분계수 $\theta'(2)$의 값을 구하고 풀이 과정을 쓰시오.

문제 4

제시문 2의 (라)에서 $\angle CPD = \dfrac{\pi}{3}$일 때 $\overline{CD} + \overline{EF}$의 값 중 가장 큰 것을 구하고 풀이 과정을 쓰시오.

【유의사항】
1. 답안 작성 시 문제번호와 답안번호가 일치하도록 알맞은 칸에 작성하여야 한다.
2. 답안 작성 시 필요한 경우에 수식 및 그림을 사용할 수 있다.
3. 필기구는 반드시 검은색 필기구만을 사용하여야 한다. (검은색 이외의 필기구로 작성한 답안은 모두 최하점으로 처리함)
4. 문제와 관계없는 불필요한 내용이나, 자신의 신분을 드러내는 내용이 있는 답안 및 낙서 또는 표식이 있는 답안은 모두 최하점으로 처리한다.
5. 답안은 반드시 정해진 답안작성란 안에만 작성하여야 한다. (답안작성란 밖에 작성된 내용은 채점 대상에서 제외함)

【문제 1】 이 답안 영역에는 1번 문항에 대한 답을 작성하시오.

【문제 2】 이 답안 영역에는 2번 문항에 대한 답을 작성하시오.

이 줄 아래에 답안을 작성하거나 낙서할 경우 판독이 불가능하여 채점 불가

64

답안지 바코드

【문제 3】 이 답안 영역에는 3번 문항에 대한 답을 작성하시오.

【문제 4】 이 답안 영역에는 4번 문항에 대한 답을 작성하시오.

답안작성란 밖에 작성된 내용은 채점 대상에서 제외

8. 2022학년도 건국대 수시 논술 B

[제시문 1]

(가) 사인법칙과 코사인법칙을 활용하여 삼각형을 포함한 여러 가지 도형의 문제를 해결할 수 있다.

(나) 수열 $\{a_n\}$의 첫째항부터 제 n항까지의 합 $a_1 + a_2 + a_3 + \cdots + a_n$을 기호 $\sum$를 사용하여 $\displaystyle\sum_{k=1}^{n} a_k$와 같이 나타낼 수 있다. 즉, $a_1 + a_2 + a_3 + \cdots + a_n = \displaystyle\sum_{k=1}^{n} a_k$이다.

(다) [그림 1]에서 점 P는 삼각형 ABD의 외접원 위에 있고 점 Q는 삼각형 BCD의 외접원 위에 있다.

(라) [그림 2]는 점 A_0, A_1, A_2, ..., A_{100}, B를 나타낸 것이다. 점 A_n의 좌표는 $\left(n, \cos\dfrac{n\pi}{2}\right)$이고 점 B의 좌표는 $(0, -1)$이다.

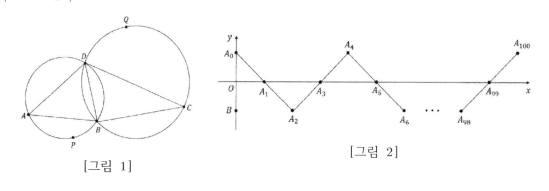

[그림 1]   [그림 2]

문제 1

제시문 1의 (다)에서 $\overline{BD} = 2$, $\sin\angle BAD = \dfrac{1}{2}$, $\sin\angle BCD = \dfrac{1}{3}$일 때 $\overline{PQ}$의 값 중 가장 큰 것을 구하고 풀이 과정을 쓰시오.

문제 2

제시문 1의 (라)에 주어진 점들에 대하여 삼각형 $BA_{n-1}A_n$의 넓이가 a_n일 때 $\displaystyle\sum_{n=1}^{100} a_n^2$을 구하고 풀이 과정을 쓰시오.

[제시문 2]

(가) 일반적으로 함수 $y = f(x)$가 정의역에 속하는 모든 x에서 미분가능할 때, 정의역의 각 원소 x에 미분계수 $f'(x)$를 대응시키면 새로운 함수를 얻는다. 이 함수를 함수 $y = f(x)$의 도함수라 한다.

(나) 다음은 사인함수와 코사인 함수의 덧셈정리이다.
$$\sin(\alpha + \beta) = \sin\alpha\cos\beta + \cos\alpha\sin\beta$$
$$\cos(\alpha + \beta) = \cos\alpha\cos\beta - \sin\alpha\sin\beta$$

(다) [그림 3]은 곡선 $y = x^2$과 점 $A(0, 3)$을 나타낸 것이다. 두 점 B와 C는 이 곡선 위의 점이고 직선 BC는 x축에 평행하다. 색칠한 도형은 직선 BC와 곡선 $y = x^2$으로 둘러싸인 도형이다.

(라) [그림 4]는 중심이 원점 O이고 반지름이 2인 원을 나타낸 것이다. 원 위에 점 $A(-\sqrt{2}, \sqrt{2})$와 $B(\sqrt{2}, \sqrt{2})$가 있다. 원 밖의 점 P에 대하여 선분 AP와 원의 교점이 C, 선분 BP와 원의 교점이 D이다.

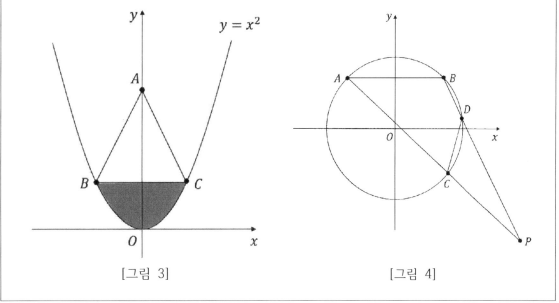

[그림 3]   [그림 4]

문제 3

제시문 2의 (다)에서 $\angle BAC$의 크기가 θ일 때 색칠한 도형의 넓이를 $S(\theta)$라 하자. $\overline{BC} = 2$일 때 $\dfrac{dS}{d\theta}$의 값을 구하고 풀이 과정을 쓰시오.

문제 4

제시문 2의 (라)에서 $\overline{CD} = 2$일 때 $\overline{AP}$의 값 중 가장 큰 것을 구하고 풀이 과정을 쓰시오.

모 집 단 위

성 명

수 험 번 호
2 1 8

생년월일 (예 : 050512)

【문제 1】 이 답안 영역에는 1번 문항에 대한 답을 작성하시오.

【문제 2】 이 답안 영역에는 2번 문항에 대한 답을 작성하시오.

【문제 3】 이 답안 영역에는 3번 문항에 대한 답을 작성하시오.

【문제 4】 이 답안 영역에는 4번 문항에 대한 답을 작성하시오.

답안작성란 밖에 작성된 내용은 채점 대상에서 제외

9. 2022학년도 건국대 모의 논술

[제시문 1]

(가) a를 포함하는 어떤 열린구간에서 미분가능한 함수 $f(x)$가 $x=a$에서 극값을 가지면 $f'(a)=0$이다.

(나) 두 함수 $f(x)$와 $g(x)$가 닫힌구간 $[a,\ b]$에서 연속일 때, 두 곡선 $y=f(x)$, $y=g(x)$ 및 두 직선 $x=a$, $x=b$로 둘러싸인 도형의 넓이 S는 다음과 같다.

$$S=\int_a^b |f(x)-g(x)|dx$$

(다) [그림 1]은 원 $x^2+y^2=1$위의 점 P와 점 $A(-2,\ -1)$, 점 $B(0,\ -1)$을 나타낸 것이다. $\angle PAB$의 크기를 α라 하자.

(라) [그림 2]는 점 $A(-3,\ 0)$을 지나고 양의 기울기를 가지는 직선 l과 원 $x^2+y^2=4$를 나타낸 것이다. 직선 l과 원 $x^2+y^2=4$는 두 점 B와 C에서 만난다. $\angle BAO$의 크기가 θ일 때, $\angle BOC$의 크기는 α이고 직선 l과 원 $x^2+y^2=4$로 둘러싸인 색칠한 도형의 넓이는 S이다.

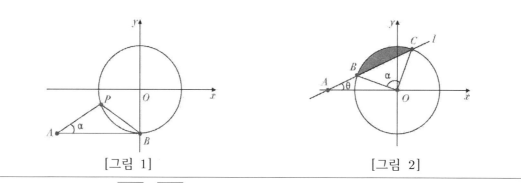

[그림 1]　　　　　　　　　　　[그림 2]

[문제 1] [그림 1]에서 $\overline{PA}^2+\overline{PB}^2$의 값이 가장 작을 때, $\cos^2\alpha$의 값을 구하시오. 풀이 과정도 함께 쓰시오.

[문제 2] [그림 2]에서 $\dfrac{dS}{d\theta}=-5\sqrt{3}$일 때 $\sin\alpha$의 값을 구하시오. 풀이 과정도 함께 쓰시오.

[제시문 2]

(가) 삼각형 ABC에서 $a = \overline{BC}$, $b = \overline{CA}$, $c = \overline{AB}$라 하고 외접원의 반지름의 길이를 R이라고 하면

$$\frac{a}{\sin A} = \frac{b}{\sin B} = \frac{c}{\sin C} = 2R$$

이다. 이것을 사인법칙이라고 한다. 또한

$$a^2 = b^2 + c^2 - 2bc\cos A$$
$$b^2 = c^2 + a^2 - 2ca\cos B$$
$$c^2 = a^2 + b^2 - 2ab\cos C$$

이고 이것을 코사인법칙이라고 한다.

(나) [그림 3]은 넓이가 32인 정삼각형 ABC를 나타낸 것이다. 정삼각형 ABC의 변 BC, CA, AB위에 있는 점 D, E, F가 $\angle CAD = \angle ABE = \angle BCF = \alpha$를 만족한다. 선분 AD와 BE의 교점을 P, 선분 BE와 CF의 교점을 Q, 선분 CF와 AD의 교점을 R이라 하면 삼각형 PQR은 정삼각형이다.

(다) [그림 4]는 $\overline{AB} = 4$, $\overline{BC} = 5$, $\overline{CA} = 6$인 삼각형 ABC를 나타낸 것이다. 점 P는 삼각형 ABC내부에 있는 점이고 $\angle PAC = \angle PBA = \angle PCB = \alpha$를 만족한다.

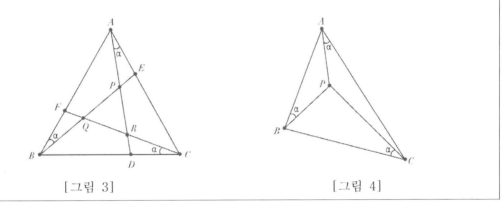

[그림 3]   [그림 4]

[문제 3] [그림 3]에서 $\tan\alpha = \dfrac{1}{3}$일 때, 삼각형 PQR의 넓이를 구하시오. 풀이 과정도 함께 쓰시오.

[문제 4] [그림 4]에서 $\tan\alpha$의 값을 구하시오. 풀이 과정도 함께 쓰시오.

모집단위

성 명

수 험 번 호								
		2	1	8				

생년월일 (예 : 050512)

【유의사항】
1. 답안 작성 시 문제번호와 답안번호가 일치하도록 알맞은 칸에 작성하여야 한다.
2. 답안 작성 시 필요한 경우에 수식 및 그림을 사용할 수 있다.
3. 필기구는 반드시 검은색 필기구만을 사용하여야 한다. (검은색 이외의 필기구로 작성한 답안은 모두 최하점으로 처리함)
4. 문제와 관계없는 불필요한 내용이나, 자신의 신분을 드러내는 내용이 있는 답안 및 낙서 또는 표식이 있는 답안은 모두 최하점으로 처리한다.
5. 답안은 반드시 정해진 답안작성란 안에만 작성하여야 한다. (답안작성란 밖에 작성된 내용은 채점 대상에서 제외함)

【문제 1】 이 답안 영역에는 1번 문항에 대한 답을 작성하시오.

【문제 2】 이 답안 영역에는 2번 문항에 대한 답을 작성하시오.

이 줄 아래에 답안을 작성하거나 낙서할 경우 판독이 불가능하여 채점 불가

【문제 3】 이 답안 영역에는 3번 문항에 대한 답을 작성하시오.

【문제 4】 이 답안 영역에는 4번 문항에 대한 답을 작성하시오.

답안작성란 밖에 작성된 내용은 채점 대상에서 제외

10. 2021학년도 건국대 수시 논술 A

[제시문 1]

(가) 수열 $\{a_n\}$에서 n의 값이 한없이 커질 때, a_n의 값이 일정한 값 α에 한없이 가까워지면 수열 $\{a_n\}$은 α에 수렴한다고 한다. 이때 α를 수열 $\{a_n\}$의 극한값 또는 극한이라 하고, 이것을 기호로 $\lim\limits_{n \to \infty} a_n = \alpha$ 또는 $n \to \infty$일 때 $a_n \to \alpha$와 같이 나타낸다.

(나) [그림 1]에서 곡선 $y = -x^2 + t\,(t > 0)$은 직선 $y = x$와 점 P_1, P_3에서 만나고, 직선 $y = -x$와 점 P_2, P_4에서 만난다. 네 점 P_1, P_2, P_3, P_4를 모두 지나는 원이 C이다. 제 1 사분면의 점 P_1에서 원 C에 접하는 직선이 x축과 만나는 점이 Q이다. $\angle P_1QO$의 크기는 θ이다.

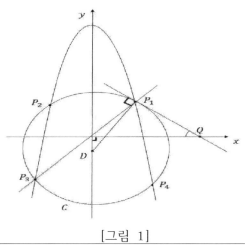

[그림 1]

문제 1

제시문 1의 (나)에서 자연수 n에 대하여 $t = n$일 때, 사각형 $P_1P_2P_3P_4$의 넓이를 R_n이라 하고, 원 C의 넓이를 S_n이라 하자. 다음 극한값을 구하고 풀이 과정을 쓰시오.

$$\lim_{n \to \infty} \frac{R_n}{S_n}$$

문제 2

제시문 1의 (나)에서 $\sin\theta = \dfrac{3}{5}$일 때, t의 값을 구하고 풀이 과정을 쓰시오.

(가) 미분법은 움직이는 물체의 운동 또는 곡선의 특징과 변화를 분석하는 중요한 수학적 도구로 오늘날 미분법은 영화 속 특수 효과, 소리의 파동, 교통의 흐름, 열전도율 등과 같이 변화하는 현상과 관련된 문제를 해결하는 과정에 활용된다.

(나) 밑이 e인 로그 $\log_e x$를 x의 자연로그라 하고, 이것을 간단히 $\ln x$와 같이 나타낸다.

(다) [그림 2]는 곡선 $y = e^{x-1} + 2$, 곡선 $y = 1 + \ln(x-2)$, 기울기가 -1인 직선 l을 나타낸 것이다. 점 A는 직선 l과 곡선 $y = e^{x-1} + 2$의 교점이고, 점 B는 직선 l과 곡선 $y = 1 + \ln(x-2)$의 교점이다.

(라) [그림 3]은 직선 $y = -x + t \ (t > 0)$, 곡선 $y = x^3 + 1$, 곡선 $y = (x-1)^{\frac{1}{3}}$을 나타낸 것이다. 점 C는 직선 $y = -x + t$와 곡선 $y = x^3 + 1$의 교점이고, 점 D는 직선 $y = -x + t$와 곡선 $y = (x-1)^{\frac{1}{3}}$의 교점이다. 점 E는 점 C에서 y축에 내린 수선의 발이고, 점 F는 점 D에서 x축에 내린 수선의 발이다. 빗금친 영역은 정사각형 $OFGE$의 안쪽에 있고 곡선 $y = x^3 + 1$의 아래쪽, 곡선 $y = (x-1)^{\frac{1}{3}}$의 위쪽에 놓인 영역이다.

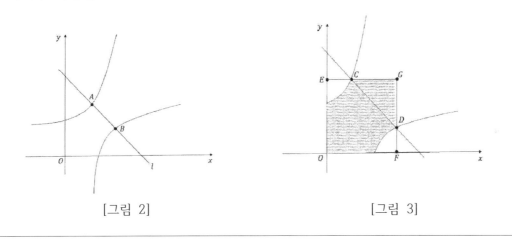

[그림 2]   [그림 3]

문제 3
제시문 2의 (다)에서 $\overline{AB}$가 가질 수 있는 값 중 가장 작은 것을 구하고 풀이 과정을 쓰시오.

문제 4
제시문 2의 (라)에서 빗금친 영역의 넓이를 $S(t)$라 하자. 미분계수 $S'(3)$의 값을 구하고 풀이 과정을 쓰시오.

모 집 단 위

성 명

수 험 번 호		생년월일 (예 : 050512)

수 험 번 호: 2 1 8

【문제 1】 이 답안 영역에는 1번 문항에 대한 답을 작성하시오.

【문제 2】 이 답안 영역에는 2번 문항에 대한 답을 작성하시오.

이 줄 아래에 답안을 작성하거나 낙서할 경우 판독이 불가능하여 채점 불가

76

【문제 3】 이 답안 영역에는 3번 문항에 대한 답을 작성하시오.

【문제 4】 이 답안 영역에는 4번 문항에 대한 답을 작성하시오.

답안작성란 밖에 작성된 내용은 채점 대상에서 제외

11. 2021학년도 건국대 수시 논술 B

[제시문 1]

(가) 함수 $f(x)$가 $x = a$에서 미분가능할 때, 곡선 $y = f(x)$위의 점 $(a, f(a))$에서의 접선의 기울기는 $f'(a)$이므로 접선의 방정식은 다음과 같다.
$$y - f(a) = f'(a)(x - a)$$

(나) [그림 1]은 곡선 $y = x^2$을 나타낸 것이다. 점 D는 제 1사분면에 있는 곡선 $y = x^2$ 위의 한 점이다. 점 D에서 곡선 $y = x^2$의 접선에 수직한 직선이 곡선 $y = x^2$과 제2사분면의 점 E에서 만나고, x축과 점 F에서 만난다.

(다) [그림 2]는 곡선 $y = x^2$을 나타낸 것이다. 이 곡선 위의 서로 다른 두 점 A와 B에서의 접선의 교점이 C이다.

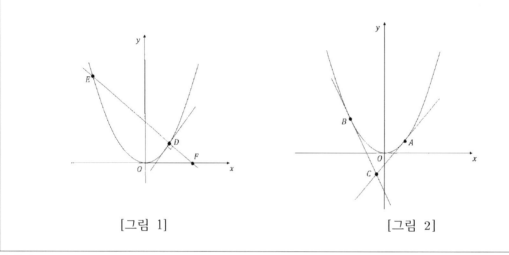

[그림 1]   [그림 2]

문제 1

제시문 1의 (나)에서 $\overline{ED} : \overline{DF} = 3 : 1$일 때, 점 D의 좌표를 구하고 풀이 과정을 쓰시오.

문제 2

제시문 1의 (다)에서 점 A와 점 B의 x좌표를 각각 a와 b라 하자. a와 b가 다음을 만족할 때 두 접선의 교점 C로 이루어진 영역의 넓이를 구하고 풀이 과정을 쓰시오.
$$1 \le a \le 2, \ -2 \le b \le -1$$

(가) 좌표평면 위에서 x축의 양의 방향을 시초선으로 잡았을 때, 일반각 θ를 나타내는 동경과 원점 O를 중심으로 하고 반지름의 길이가 r인 원의 교점을 $P(x,\ y)$라 하면 $\dfrac{y}{r}$, $\dfrac{x}{r}$, $\dfrac{y}{x}(x \neq 0)$의 값은 r의 값과 관계없이 θ의 값에 따라 각각 하나로 정해진다. 이 함수를 차례로 θ에 대한 사인함수, 코사인함수, 탄젠트함수라 하고, 기호로 각각 $\sin\theta = \dfrac{y}{r}$, $\cos\theta = \dfrac{x}{r}$, $\tan\theta = \dfrac{y}{x}(x \neq 0)$로 정의하고, 이 함수들을 통틀어 θ에 대한 삼각함수라 한다.

(나) [그림 3]은 중심이 원점 O인 원과 점 $A(-2,\ 0)$을 나타낸 것이다. 점 A에서 원에 그은 두 접선과 원이 만나는 점이 각각 B, C이다. 직선 BO와 직선 AC의 교점이 D이다. 원의 반지름이 r일 때, $\angle CDO$의 크기가 θ이다.

(다) [그림 4]는 중심이 원점 O이고 반지름의 길이가 1인 반원과 점 $S(2,\ 0)$을 나타낸 것이다. 점 P는 반원 위에 있다. 선분 PQ는 y축과 평행하고 점 Q의 y좌표는 점 P의 y좌표보다 1만큼 크다.

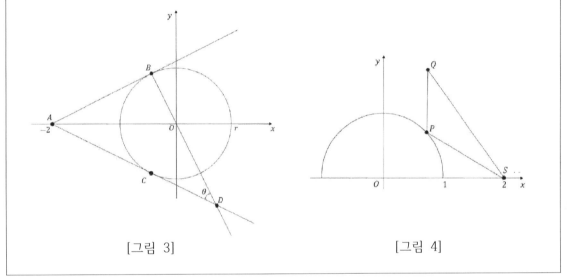

[그림 3]　　　　　　　　　　　[그림 4]

문제 3

제시문 2의 (나)에서 $r=1$일 때 $\dfrac{d\theta}{dr}$의 값을 구하고 풀이 과정을 쓰시오.

문제 4

제시문 2의 (다)에서 $\angle PSQ$의 크기가 최소일 때 점 P의 좌표를 구하고 풀이 과정을 쓰시오.

모집단위

성   명

		수	험	번	호				
		2	1	8					

생년월일 (예 : 050512)

【문제 1】 이 답안 영역에는 1번 문항에 대한 답을 작성하시오.

【문제 2】 이 답안 영역에는 2번 문항에 대한 답을 작성하시오.

이 줄 아래에 답안을 작성하거나 낙서할 경우 판독이 불가능하여 채점 불가

【문제 3】 이 답안 영역에는 3번 문항에 대한 답을 작성하시오.

【문제 4】 이 답안 영역에는 4번 문항에 대한 답을 작성하시오.

답안작성란 밖에 작성된 내용은 채점 대상에서 제외

12. 2020학년도 건국대 수시 논술

(가) 평면 위에서 두 정점 F와 F'으로부터 거리의 합이 일정한 점들의 집합을 타원이라고 한다. 이때, 두 정점 F와 F'을 타원의 초점이라고 한다.

두 초점 $F(-c, 0)$, $F'(c, 0)$으로부터의 거리의 합이 $2a$인 타원의 방정식은 $\dfrac{x^2}{a^2} + \dfrac{y^2}{b^2} = 1$이다. (단, $a > b > 0$, $b^2 = a^2 - c^2$)

(나) 평면 위의 두 점 $A(x_1, y_1)$, $B(x_2, y_2)$에 대하여 선분 AB의 중점 M의 좌표는 $M\left(\dfrac{x_1 + x_2}{2}, \dfrac{y_1 + y_2}{2}\right)$이다.

(다) [그림 1]은 정점 F와 F'을 초점으로 하는 타원을 나타낸 것이다. 점 A와 점 B는 타원 위의 점이고, 두 점을 연결한 직선은 점 F'을 지난다.

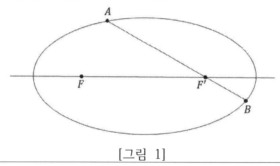

[그림 1]

문제 1

[그림 1]의 타원의 방정식이 $\dfrac{x^2}{9} + \dfrac{y^2}{4} = 1$이라고 하자. $\angle FAB = \dfrac{\pi}{2}$가 되는 삼각형 FAB의 넓이를 S라 하자. S의 값을 모두 구하고 풀이과정을 쓰시오. (단, 점 A의 y좌표는 양수)

문제 2

[그림 1]의 타원의 방정식이 $\dfrac{x^2}{2} + y^2 = 1$이라고 하자. 선분 AB의 중점을 M이라 할 때, 직선 FM의 기울기의 최댓값을 구하고 풀이과정을 쓰시오.

[제시문 2]

(가) 평면 α위에 있지 않은 한 점 P에서 평면 α에 내린 수선의 발을 P'이라고 할 때, 점 P'을 점 P의 평면 α위로의 정사영이라고 한다. 또 도형 F에 속하는 각 점의 평면 α위로의 정사영으로 이루어진 도형 F'을 도형 F의 평면 α위로의 정사영이라고 한다.

(나) 공간 위의 한 점 P에서 직선 l에 내린 수선의 발을 H라 할 때, 점 P와 직선 l사이의 거리는 선분 PH의 길이와 같다.

(다) 공간 위의 한 점 P에서 평면 α에 내린 수선의 발을 H라 할 때, 점 P와 평면 α사이의 거리는 선분 PH의 길이와 같다.

(라) [그림 2]는 사면체 $ABCD$를 나타낸 것이다. 점 P는 선분 BD위에 있고, 선분 CD와 평면 ABC는 수직으로 만난다.

(마) [그림 3]은 사면체 $ABCD$와 이를 포함하는 사면체 $ABCE$를 나타낸 것이다. 점 D는 선분 CE위에 있다.

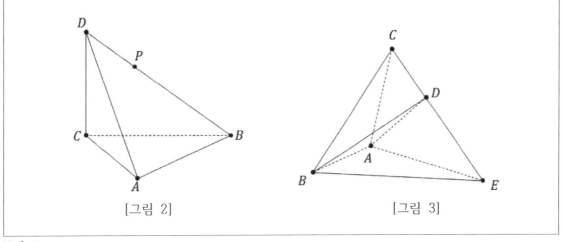

[그림 2]   [그림 3]

문제 3

[그림 2]에서 점 B와 직선 AC사이의 거리는 6이고, $\overline{DP}=4$이다. 점 P의 평면 ABC 위로의 정사영을 Q, 점 P에서 직선 AC에 내린 수선의 발을 R라고 하자. $\overline{CQ}=2$이고 $\overline{CR}=1$일 때, 선분 CD의 길이를 구하고 풀이과정을 쓰시오.

문제 4

[그림 3]에서 삼각형 ABC와 삼각형 ABE의 넓이는 각각 5와 3이다. 선분 CD는 길이가 2이고, 선분 CD의 평면 ABE위로의 정사영의 길이는 1이다. 점 D와 평면 ABC사이의 거리를 구하고 풀이과정을 쓰시오.

모집 단위

성　　　명

수 험 번 호									
			2	1	8				

생년월일 (예 : 050512)

【문제 1】 이 답안 영역에는 1번 문항에 대한 답을 작성하시오.

【문제 2】 이 답안 영역에는 2번 문항에 대한 답을 작성하시오.

이 줄 아래에 답안을 작성하거나 낙서할 경우 판독이 불가능하여 채점 불가

84

이 줄 위에 답안을 작성하거나 낙서할 경우 판독이 불가능하여 채점 불가

【문제 3】 이 답안 영역에는 3번 문항에 대한 답을 작성하시오.

【문제 4】 이 답안 영역에는 4번 문항에 대한 답을 작성하시오.

답안작성란 밖에 작성된 내용은 채점 대상에서 제외

이 줄 아래에 답안을 작성하거나 낙서할 경우 판독이 불가능하여 채점 불가

VI. 예시 답안

1. 2024학년도 건국대 수시 논술 A

[문제 1] (나)에서 원점에서 제 1사분면의 곡선 $y = \dfrac{1}{6}x^3 + \dfrac{1}{2x}$ 위에 있는 점들을 바라볼 때, 원 S에 의해서 가려지지 않고 보이는 점들로 이루어진 곡선 $y = \dfrac{1}{6}x^3 + \dfrac{1}{2x}$ 의 부분의 길이를 구하고 풀이 과정을 쓰시오. [15점]

[문제 2] 다음 물음에 답하시오. [20점]

(1) (나)에서 [조건 1]을 만족하도록 나열하는 방법의 수를 구하고 풀이 과정을 쓰시오.
(2) (나)에서 [조건 2]를 만족하도록 나열하는 방법의 수를 구하고 풀이 과정을 쓰시오.

[문제 3] (나)에서 $t = \ln 6$에서의 미분계수 $S'(\ln 6)$을 구하고 풀이 과정을 쓰시오. [30점]

[문제 4] (나)에서 $\cos\alpha$가 최소가 될 때의 점 P의 좌표와 $\cos\alpha$를 구하고 풀이 과정을 쓰시오. [35점]

[문제 1번] 답 : $\dfrac{1 + \sqrt{3}}{3}$

[풀이]

원의 접선 $y = mx$에서 원의 중심 $\left(0, \dfrac{\sqrt{13}}{3}\right)$까지의 거리는 원의 반지름과 같으므로

$\dfrac{\left|\dfrac{\sqrt{13}}{3}\right|}{\sqrt{m^2 + 1}} = 1$이고 제 1사분면에서 만나므로 $m = \dfrac{2}{3}$이다.

접선과 곡선의 교점은

$\dfrac{2}{3}x = \dfrac{1}{6}x^3 + \dfrac{1}{2x}$로부터 $x^2 = 1$ 또는 3이다.

교점은 제 1사분면에 있으므로 2개이고, 두 교점의 x좌표는 각각 1, $\sqrt{3}$이다.

곡선 $y = \dfrac{1}{6}x^3 + \dfrac{1}{2x}$에서 $y' = \dfrac{1}{2}x^2 - \dfrac{1}{2x^2}$이다.

따라서 $x = 1$에서 극값을 갖고, $0 < x < 1$에서 $y' < 0$, $x > 1$에서 $y' > 0$이다.

따라서 제 1사분면에서 곡선 $y = \dfrac{1}{6}x^3 + \dfrac{1}{2x}$은 $0 < x < 1$에서 감소하고 $x > 1$에서 증가하며 $x = 1$에서 최솟값 $\dfrac{2}{3}$를 갖는다.

원 위의 점의 x좌표의 최댓값은 1이고 $x = 1$일 때 원 위의 점의 좌표는 $\left(1, \dfrac{\sqrt{13}}{3}\right)$이다.

따라서 점 $\left(1, \dfrac{2}{3}\right)$는 원 밖의 점이다.

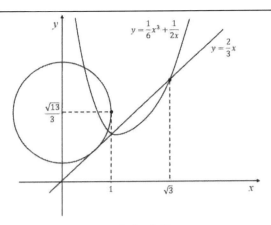

따라서 $1 \le x \le \sqrt{3}$일 때 곡선이 보인다. 곡선의 길이는

$$\int_1^{\sqrt{3}} \sqrt{1 + \left(\frac{1}{2}x^2 - \frac{1}{2x^2}\right)^2}\, dx = \int_1^{\sqrt{3}} \left(\frac{1}{2}x^2 + \frac{1}{2x^2}\right) dx$$
$$= \left[\frac{1}{6}x^3 - \frac{1}{2x}\right]_1^{\sqrt{3}} = \frac{1 + \sqrt{3}}{3}$$

[문제 2번] 답 : **(1)** $231,000$, **(2)** $118,800$

[풀이]

(1) 먼저 D가 연속하여 나타나는 경우의 수를 구한다. 이 경우 DD를 하나로 생각하면 D가 연속으로 나타나게 배열하는 방법의 수는 모두 $\dfrac{11!}{3! \times 4! \times 3! \times 1!}$ 이다.

따라서 문자 D가 연속하여 나타나지 않는 경우의 수는

$$\frac{12!}{3! \times 4! \times 3! \times 2!} - \frac{11!}{3! \times 4! \times 3! \times 1!} = \frac{5 \times 11!}{3! \times 4! \times 3!} = 231,000$$

(2) 다음과 같이 1단계, 2단계, 3단계로 분석하여 각 단계별 경우의 수를 구한다.

(1단계) 먼저 12자리 중 문자 A와 B의 위치를 결정한다. A와 B가 총 7개이므로 12개의 자리에서 7자리를 택하는 방법의 수는 $_{12}\mathrm{C}_7$이다.

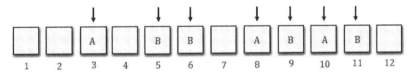

(2단계) 선택된 7자리에 문자 A와 B를 배치하는 방법의 수를 구한다.

문자 A와 B의 위치가 결정되었을 때, 선택된 7자리 중 가장 왼쪽에 위치한 자리는 문자 A를 놓고 나머지 6자리에 2개의 문자 A와 4개의 문자 B를 배치하는 경우의 수는 $\dfrac{6!}{2! \times 4!}$ 이다.

(3단계) 남은 자리 5개에 문자 C와 D를 배치한다. 문자 C가 3개, 문자 D가 2개이므로 $\dfrac{5!}{3! \times 2!}$ 가지의 경우가 있다.

따라서 1단계, 2단계, 3단계에 의해 [조건 2]를 만족하면서 A, B, C, D를 배열하는 방법의 수는

$$_{12}\mathrm{C}_7 \times \frac{6!}{2! \times 4!} \times \frac{5!}{3! \times 2!} = 118,800$$

이다.

[문제 3번] 답 : 3

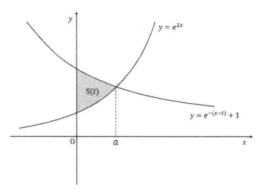

두 곡선의 교점의 x좌표를 a라 하자. 즉, $e^{2a} = e^{-(a-t)} + 1$이다.

그러면, $S(t) = \int_0^a \left(e^{-(x-t)} + 1 - e^{2x} \right) dx = -e^{-(a-t)} + a - \frac{1}{2}e^{2a} + e^t + \frac{1}{2}$이다. t에 대해 미분하면,

$$S'(t) = -e^{-(a-t)}\left(1 - \frac{da}{dt}\right) + \frac{da}{dt} - e^{2a}\frac{da}{dt} + e^t$$

$$= \left(e^{-(a-t)} + 1 - e^{2a} \right)\frac{da}{dt} - e^{-(a-t)} + e^t$$

$e^{2a} = e^{-(a-t)} + 1$이므로, $S'(t) = -e^{-(a-t)} + e^t$이다.

$t = \ln 6$일 때 $e^{2a} = 6e^{-a} + 1$이고, 따라서 $e^{3a} - e^a - 6 = 0$이다.

$b = e^a$라 하면, $b^3 - b - 6 = 0$이다. 따라서 $(b-2)(b^2 + 2b + 3) = 0$이고, $b = 2$를 얻는다.

$e^a = b = 2$이므로, $t = \ln 6$일 때 $a = \ln 2$이다.

따라서 $S'(\ln 6) = -e^t e^{-a} + e^t = -6 \times \frac{1}{2} + 6 = 3$이다.

[문제 4번] 답 : $\cos\alpha = \dfrac{\sqrt{7}}{3}$, 점 P의 좌표: $\left(1 - \dfrac{\sqrt{14}}{2},\ 1 + \dfrac{\sqrt{14}}{2} \right)$

[풀이]

다음의 두 가지 경우로 나누어서 푼다.

(1) 점 P의 y좌표가 1보다 작거나 같을 때:

점 P에서 점 $(0, 1)$까지의 거리를 d라 하자. (단, $d > 0$)

코사인법칙을 이용하면

$$\cos\alpha = \frac{9 + d^2 - 1}{6d} = \frac{4}{3d} + \frac{d}{6} \geq \frac{2\sqrt{2}}{3}$$

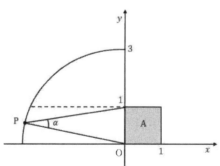

(2) 점 P의 y좌표가 1보다 클 때:

점 P에서 점 $(1,1)$까지의 거리를 d라 하자. (단, $d > 0$)

코사인법칙을 이용하면

$$\cos\alpha = \frac{9+d^2-2}{6d} = \frac{7}{6d} + \frac{d}{6} \geq \frac{\sqrt{7}}{3}$$

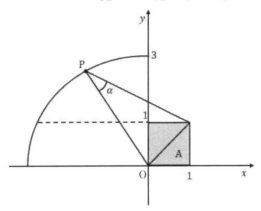

(1), (2)에 의하여 $\cos\alpha$의 최솟값은 $\dfrac{\sqrt{7}}{3}$이다.

등호는 $\dfrac{7}{6d} = \dfrac{d}{6}$일 때 성립하고, 이때 $d = \sqrt{7}$이다. 점 $(1,1)$을 Q라 하고 $d = \sqrt{7}$일 때 각 POQ의 크기를 θ라 하자.

$\cos\theta = \dfrac{9+2-7}{6\sqrt{2}} = \dfrac{\sqrt{2}}{3}$이고, $0 \leq \theta \leq \dfrac{\pi}{2}$이므로 $\sin\theta = \dfrac{\sqrt{7}}{3}$이다.

점 P의 좌표 x는

$$3\cos\left(\theta+\frac{\pi}{4}\right) = 3\left(\cos\theta\cos\frac{\pi}{4} - \sin\theta\sin\frac{\pi}{4}\right) = 1 - \frac{\sqrt{14}}{2}$$ 이다.

점 P의 좌표 y는

$$3\sin\left(\theta+\frac{\pi}{4}\right) = 3\left(\sin\theta\cos\frac{\pi}{4} - \cos\theta\sin\frac{\pi}{4}\right) = 1 + \frac{\sqrt{14}}{2}$$ 이다.

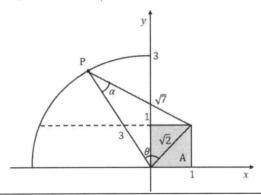

2. 2024학년도 건국대 수시 논술 B

[문제 1] (나)에서 $t = \dfrac{1}{2}$일 때의 도형 R의 넓이를 구하고, 도형 R의 넓이가 최대가 될 때의 t의 값을 구하시오. 풀이 과정도 쓰시오. [15점]

[문제 2] 다음 물음에 답하시오. [20점]
(1) (나)에서 [조건 1]을 만족하도록 나열하는 방법의 수를 구하고 풀이 과정을 쓰시오.
(2) (나)에서 [조건 2]를 만족하도록 나열하는 방법의 수를 구하고 풀이 과정을 쓰시오.

[문제 3] (나)에서 $t=1$에서의 미분계수 $S'(1)$의 값을 구하고 풀이 과정을 쓰시오. [30점]

[문제 4] (나)에서 $\overline{\text{AP}}^2 + \overline{\text{BP}}^2$의 값이 최소가 될 때의 점 A의 좌표를 구하고 풀이 과정을 쓰시오. [35점]

[문제 1번]

답 : $t=\dfrac{1}{2}$일 때의 R의 넓이는 $\dfrac{5\pi}{48}-\dfrac{\sqrt{3}}{8}$이고, R의 넓이가 최대가 될 때의 t의 값은 $\dfrac{\pi^2-4}{\pi^2+4}$ 이다.

[풀이]

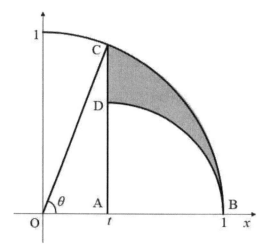

$A(t,\ 0)$, $B(1,\ 0)$이라 하고 $x=t$가 큰 원 및 작은 원과 만나는 점을 각각 C, D라 하자. 각 AOC의 크기를 θ라 하자. 도형 R의 넓이를 $f(t)$라 하자.
R의 넓이를 적분으로 표현하면

$$f(t)=\int_t^1 \sqrt{1-x^2}\,dx - \frac{\pi}{4}(1-t)^2 = -\int_1^t \sqrt{1-x^2}\,dx - \frac{\pi}{4}(1-t)^2 \quad \cdots\cdots \text{ (1)}$$

$x=\cos\theta$로 치환하여 적분을 풀어서 $f(t)=\dfrac{1}{2}\theta - \dfrac{1}{2}t\sqrt{1-t^2} - \dfrac{\pi}{4}(1-t)^2$를 얻는다.

$t=\dfrac{1}{2}$일 때, $\theta = \dfrac{\pi}{3}$이므로

$$f\left(\frac{1}{2}\right) = \frac{1}{2}\frac{\pi}{3} - \frac{1}{2}\frac{1}{2}\frac{\sqrt{3}}{2} - \frac{\pi}{4}\frac{1}{4} = \frac{5\pi}{48} - \frac{\sqrt{3}}{8}$$

따라서 $t=\dfrac{1}{2}$일 때 R의 넓이는 $\dfrac{5\pi}{48}-\dfrac{\sqrt{3}}{8}$이다.

(1)을 미분하여 $f'(t) = -\sqrt{1-t^2} + \dfrac{\pi}{2}(1-t)$.

$f'(t)=0$으로부터 $\sqrt{1-t^2} = \dfrac{\pi}{2}(1-t)$

양변을 제곱하여 얻은 $1+t=\dfrac{\pi^2}{4}(1-t)$을 풀면 $t=\dfrac{\pi^2-4}{\pi^2+4}$에서 극값을 가진다.

$0 \leq t \leq \dfrac{\pi^2-4}{\pi^2+4}$일 때 $f'(t) \geq 0$이므로 $f(t)$는 증가

$\dfrac{\pi^2-4}{\pi^2+4} \leq t \leq 1$일 때 $f'(t) \leq 0$이므로 $f(t)$는 감소

그러므로 $t=\dfrac{\pi^2-4}{\pi^2+4}$에서 R의 넓이가 최대가 된다.

[문제 2번] 답 : (1) 560, (2) 1120
[풀이]
(1) CB를 하나의 문자로 취급하면, A3개, (CB) 3개, B 2개로 총 8개의 문자를 일렬로 나열하는 방법의 수는 $\dfrac{8!}{3!3!2!}=560$이다.

(2)
1단계: A 3개와 C 3개를 일렬로 나열한 다음, 조건 2를 만족하도록 B를 배치할 위치를 결정하면 된다.

먼저 ⬚A ⬚C ⬚A ⬚C ⬚C ⬚A 처럼 A 3개와 C 3개를 일렬로 나열하는 방법의 수는 $\dfrac{6!}{3!3!}$이다.

2단계:
이제, 아래와 같은 7개의 ∗ 위치에 조건을 만족하도록 5개의 B의 위치를 결정해야 한다.

$$∗\,\boxed{A}\,∗\,\boxed{C}\,∗\,\boxed{A}\,∗\,\boxed{C}\,∗\,\boxed{C}\,∗\,\boxed{A}\,∗$$

7개의 ∗가 표시된 자리 중, A 바로 다음 자리 3자리는 제외하고 남은 4개의 ∗ 자리에 B 5개를 배치한다.

$$∗\,\boxed{A}\,\ \ \boxed{C}\,∗\,\boxed{A}\,\ \ \boxed{C}\,∗\,\boxed{C}\,∗\,\boxed{A}$$

첫 번째 ∗ 자리에 들어가는 B의 개수를 x_1,
두 번째 ∗ 자리에 들어가는 B의 개수를 x_2,
세 번째 ∗ 자리에 들어가는 B의 개수를 x_3,
네 번째 ∗ 자리에 들어가는 B의 개수를 x_4
라고 할 때 B의 개수가 5개이므로 다음 방정식을 만족한다.
$$x_1+x_2+x_3+x_4=5, \quad x_i \geq 0 \ (i=1,\ 2,\ 3,\ 4)$$
따라서 방정식의 음이 아닌 정수 해의 개수는 $_4H_5 = {}_{4+5-1}C_5 = {}_8C_5$이므로 조건을 만족하는 방법의 수는
$$\frac{6!}{3!3!} \times {}_8C_5 = \frac{6!}{3!3!} \times \frac{8!}{3!5!} = 1120$$
이다.

[문제 3번] 답 : $S'(1) = \dfrac{2\pi}{3} - \sqrt{3}$

[풀이]

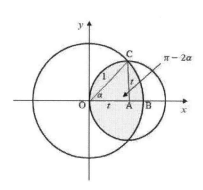 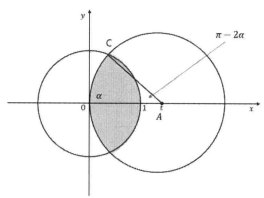

A$(t,\ 0)$, B$(1,\ 0)$이라 하고 두 원의 교점을 C라 하자.

$\angle \mathrm{AOC} = \alpha$라 하면 $\angle \mathrm{OAC} = \pi - 2\alpha$이다.

($0 < t \leq 1$일 때는 왼쪽 그림, $t \geq 1$일 때는 오른쪽 그림 참조)

중심이 O이고 반지름이 1인 부채꼴 OBC의 넓이를 S_1이라 하고,

중심이 A이고 반지름이 t인 부채꼴 AOC의 넓이를 S_2라 하고,

삼각형 OAC의 넓이를 S_3라 하면,

$$S(t) = 2(S_1 + S_2 - S_3)$$

$$= 2\left(\frac{1}{2}\alpha + \frac{1}{2}t^2(\pi - 2\alpha) - \frac{1}{2}t\sin\alpha\right) = \alpha + t^2(\pi - 2\alpha) - t\sin\alpha$$

$$S'(t) = \frac{d\alpha}{dt} + 2t(\pi - 2\alpha) + t^2\left(-2\frac{d\alpha}{dt}\right) - \sin\alpha - t\cos\alpha\frac{d\alpha}{dt}$$

삼각형 OAC에서 코사인법칙을 적용하면 $\cos\alpha = \dfrac{1 + t^2 - t^2}{2 \cdot 1 \cdot t} = \dfrac{1}{2t}$

양변을 미분하면 $-\sin\alpha\dfrac{d\alpha}{dt} = -\dfrac{1}{2t^2}$

$t = 1$일 때, 삼각형 OAC는 정삼각형이므로 $\alpha = \dfrac{\pi}{3}$, $\dfrac{d\alpha}{dt} = \dfrac{1}{\sqrt{3}}$

$$S'(1) = \frac{1}{\sqrt{3}} + 2\left(\pi - \frac{2\pi}{3}\right) - 2\frac{1}{\sqrt{3}} - \frac{\sqrt{3}}{2} - \frac{1}{2}\frac{1}{\sqrt{3}}$$

$$= \frac{2}{3}\pi - \sqrt{3}$$

[문제 4번]

답 : A$\left(\dfrac{2 - \sqrt{14}}{2},\ \dfrac{9 - 2\sqrt{14}}{2}\right)$

[풀이]

좌표를 A$(a,\ a^2)$, B$(b,\ b^2)$, P$(x,\ y)$라 하자.

a와 b는 $x^2 = 2x + t$ 즉 $x^2 - 2x - t = 0$의 근이므로 근과 계수의 관계에서 다음이 성립한다.

92

$$a + b = 2$$

$$ab = -t$$

$$a^2 + b^2 = (a + b)^2 - 2ab = 4 + 2t = 2(t + 2)$$

$$a^4 + b^4 = (a^2 + b^2)^2 - 2a^2 b^2 = 4(t + 2)^2 - 2t^2 = 2t^2 + 16t + 16$$

이를 이용하여 $\overline{\mathrm{AP}}^2 + \overline{\mathrm{BP}}^2$을 계산하면 다음을 얻을 수 있다,

$$\overline{\mathrm{AP}}^2 + \overline{\mathrm{BP}}^2$$

$$= (x - a)^2 + (y - a^2)^2 + (x - b)^2 + (y - b^2)^2$$

$$= 2x^2 - 2(a + b)x + (a^2 + b^2) + 2y^2 - 2(a^2 + b^2)y + (a^4 + b^4)$$

$$= 2x^2 - 4x + 2(t + 2) + 2y^2 - 4(t + 2)y + (2t^2 + 16t + 16)$$

$$= 2x^2 - 4x + 2 + 2y^2 - 4(t + 2)y + 2(t + 2)^2 + 2(t + 1) + (8t + 8)$$

$$= 2(x - 1)^2 + 2(y - t - 2)^2 + 10(t + 1)$$

$\mathrm{M}(1, \ t + 2)$에 대하여 $\overline{\mathrm{MP}}^2 = (x - 1)^2 + (y - t - 2)^2$이므로

$$\overline{\mathrm{AP}}^2 + \overline{\mathrm{BP}}^2 = 2\overline{\mathrm{MP}}^2 + 10(t + 1).$$

또한 $\overline{\mathrm{MP}}$는 M에서 원 $(x - 1)^2 + (y - 8)^2 = 1$ 위의 점 P에 이르는 거리이다.
그런데 점 $\mathrm{M}(1, \ t + 2)$와 원의 중심이 모두 $x = 1$ 위에 있으므로
M에 가장 가까운 원 위의 점은 $t + 2 \leq 8$일 때는 $\mathrm{P}(1, \ 7)$이고,
$$t + 2 \geq 8 \text{일 때는 } \mathrm{P}(1, \ 9)\text{이다.}$$

이때 $\overline{\mathrm{MP}} = \begin{cases} 0 < t \leq 6\text{일때}, & |(t + 2) - 7| = |t - 5| \\ t \geq 6\text{일 때}, & |(t + 2) - 9| = |t - 7| \end{cases}$

$\overline{\mathrm{AP}}^2 + \overline{\mathrm{BP}}^2 = 2\overline{\mathrm{MP}}^2 + 10(t + 1)$로부터

$0 < t \leq 6$일 때,

$$\overline{\mathrm{AP}}^2 + \overline{\mathrm{BP}}^2 = 2(t - 5)^2 + 10(t + 1) = 2t^2 - 10t + 60 = 2\left(t - \frac{5}{2}\right)^2 + 60 - \frac{25}{2}$$

$t \geq 6$일 때,

$$\overline{\mathrm{AP}}^2 + \overline{\mathrm{BP}}^2 = 2(t - 7)^2 + 10(t + 1) = 2t^2 - 18t + 108 = 2\left(t - \frac{9}{2}\right)^2 + 108 - \frac{81}{2}$$

따라서 $t = \dfrac{5}{2}$일 때 $\overline{\mathrm{AP}}^2 + \overline{\mathrm{BP}}^2$이 최소가 된다.

이때 A의 좌표는 $x^2 - 2x - \dfrac{5}{2} = 0$으로 부터 $x = \dfrac{2 \pm \sqrt{14}}{2}$, $y = 2x + \dfrac{5}{2} = \dfrac{9 \pm 2\sqrt{14}}{2}$이다.

점 A는 제 2사분면의 점이므로 $\left(\dfrac{2 - \sqrt{14}}{2}, \ \dfrac{9 - 2\sqrt{14}}{2}\right)$이다.

3. 2024학년도 건국대 모의 논술

[문제 1] (다)에서 두 삼각형 APQ, PBR의 넓이가 각각 삼각형 ABC의 넓이의 $\dfrac{1}{4}$, $\dfrac{1}{3}$배일 때, 삼각형 CQR의 넓이를 구하고 풀이 과정을 쓰시오. [15점]

[문제 2] (라)에서 선분 PQ가 삼각형 ABC의 넓이를 이등분할 때, 선분 PQ의 길이가 가질 수 있는 값 중 가장 큰 것과 작은 것을 구하고 풀이 과정을 쓰시오. [30점]

[문제 3] (서술형) (다)에서 닫힌구간 $[t, 0]$에서 위에서 곡선 $y = f(x)$와 직선 l로 둘러싸인 색칠한 도형의 넓이를 $S(t)$라 하자. $S'(-2)$를 구하고 풀이 과정을 쓰시오. [20점]

[문제 4] (서술형) (라)에서 직선 $y = t\left(0 \leq t \leq \dfrac{\sqrt{3}}{2}\right)$가 두 함수 $y = g(x)$와 $y = h(x)$의 그래프와 만나는 두 점을 잇는 선분의 길이를 $L(t)$라 하자. $\tan L\left(\dfrac{1}{4}\right)$의 값과 $L(t)$가 최대가 될 때의 t^2의 값을 구하고 풀이 과정을 쓰시오. [35점]

[문제 1] 정답: $\sqrt{6}$

삼각형 ABC에 코사인법칙을 적용하면,

$$\cos C = \frac{5^2 + 7^2 - 6^2}{2 \times 5 \times 7} = \frac{19}{35}$$

이다. 이로부터 $\sin C = \dfrac{12\sqrt{6}}{35}$임을 알 수 있다. $\overline{AP} = \overline{BP} = 3 = \dfrac{1}{2}\overline{AB}$이고 삼각형 APQ와 PBR의 넓이는 각각 삼각형 ABC의 넓이의 $\dfrac{1}{4}$, $\dfrac{1}{3}$배이므로 $\overline{AQ}$와 $\overline{BR}$은 각각 $\overline{AC}$와 $\overline{BC}$의 $\dfrac{1}{2}$, $\dfrac{2}{3}$배이다.

따라서 $\overline{AQ} = \dfrac{5}{2}$, $\overline{BR} = \dfrac{14}{3}$이다.

이제 $\overline{CQ} = \dfrac{5}{2}$, $\overline{CR} = \dfrac{7}{3}$이므로. 삼각형 CQR의 넓이를 구하면

$$\frac{1}{2} \times \overline{CQ} \times \overline{CR} \times \sin C = \frac{1}{2} \times \frac{35}{6} \times \frac{12\sqrt{6}}{35} = \sqrt{6}$$

이다.

[문제 2] 정답: 최솟값은 $2\sqrt{6}$, 최댓값은 $\dfrac{\sqrt{145}}{2}$

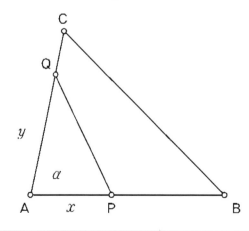

$\overline{AP} = x$, $\overline{AQ} = y$, $\angle PAQ = \alpha$라 하자.

삼각형 ABC에 코사인법칙을 적용하면, $\cos\alpha = \dfrac{5^2 + 6^2 - 7^2}{2 \times 5 \times 6} = \dfrac{1}{5}$이다.

이로부터 $\sin\alpha = \dfrac{2\sqrt{6}}{5}$임을 알 수 있다. 따라서 삼각형 ABC의 넓이는

$$\frac{1}{2} \times \overline{AB} \times \overline{AC} \times \sin\alpha = \frac{1}{2} \times 5 \times 6 \times \frac{2\sqrt{6}}{5} = 6\sqrt{6}$$

이다.

문제의 조건에 의하여 삼각형 APQ의 넓이는 $3\sqrt{6}$이다. 그런데 삼각형 APQ의 넓이는

$\dfrac{1}{2}xy\sin\alpha = \dfrac{\sqrt{6}}{5}xy$이므로 $xy = 15$임을 알 수 있다.

코사인법칙을 적용하면

$$\overline{PQ^2} = x^2 + y^2 - 2xy\cos\alpha = x^2 + y^2 - 2xy \times \frac{1}{5} = x^2 + y^2 - 6$$

이다. 문제의 조건에 의하여 $0 < x \le 6$, $0 < y \le 5$이다.

$y = \dfrac{15}{x}$이므로 $0 < \dfrac{15}{x} \le 5$이다. 이를 정리하면 $x \ge 3$, 따라서 $3 \le x \le 6$이다.

$\overline{PQ^2} = f(x)$라 하면 $f(x) = x^2 + \dfrac{15^2}{x^2} - 6$.

$$f'(x) = 2x - (15^2)2x^{-3} = \frac{2}{x^3}(x - \sqrt{15})(x + \sqrt{15})(x^2 + 15^2)$$

$3 \le x \le 6$ 범위에서 $x < \sqrt{15}$이면 $f'(x) < 0$이고 $x > \sqrt{15}$이면 $f'(x) > 0$

따라서 $f(x)$는 $x = \sqrt{15}$에서 최솟값을, $x = 3$또는 $x = 6$에서 최댓값을 가진다.

$$f(\sqrt{15}) = 24, \quad f(3) = 28, \quad f(6) = \frac{145}{4}.$$

그러므로 $\overline{PQ}$의 최솟값은 $2\sqrt{6}$, 최댓값은 $\dfrac{\sqrt{145}}{2}$이다.

[문제 3] 정답: -8

직선 l을 $y = mx$라 하면, $S(t) = \displaystyle\int_t^0 (f(x) - mx)dx$이다.

따라서, $S(t) = \displaystyle\int_0^t (mx - f(x))dx = \dfrac{1}{2}mt^2 - \int_0^t f(x)dx$이다.

직선 l이 원점과 점 $(t, f(t))$를 지나므로 $m = \dfrac{f(t)}{t}$이고, $S(t) = \dfrac{1}{2}tf(t) - \displaystyle\int_0^t f(x)dx$이다.

t에 대해 미분하면,

$$S'(t) = \frac{1}{2}f(t) + \frac{1}{2}tf'(t) - f(t) = \frac{1}{2}(tf'(t) - f(t))$$

이다. 따라서

$$S'(-2) = \frac{1}{2} \times ((-2) \times (-2) - 20) = -8$$

이다.

[문제 4] 정답: $\tan L\left(\dfrac{1}{4}\right) = \dfrac{\sqrt{15}-2}{2\sqrt{15}+1}$, $t^2 = \dfrac{-3+\sqrt{21}}{8}$

$$L(t) = g^{-1}(t) - h^{-1}(t)$$

이다.

$$g(a) = \frac{1}{2}\tan a = \frac{1}{4} \Rightarrow \tan a = \frac{1}{2}, \quad h(b) = \sin b = \frac{1}{4} \Rightarrow \tan b = \frac{1}{\sqrt{15}}$$

이다. 탄젠트 함수의 덧셈정리를 이용하여

$$\tan L\left(\frac{1}{4}\right) = \tan\left(g^{-1}\left(\frac{1}{4}\right) - h^{-1}\left(\frac{1}{4}\right)\right)$$

$$= \tan(a-b)$$

$$= \frac{\tan a - \tan b}{1 + \tan a \tan b}$$

$$= \frac{\dfrac{1}{2} - \dfrac{1}{\sqrt{15}}}{1 + \dfrac{1}{2}\dfrac{1}{\sqrt{15}}} = \frac{\sqrt{15}-2}{2\sqrt{15}+1}$$

이다. $L(t) = g^{-1}(t) - h^{-1}(t)$을 미분하고,

$$\frac{1}{2}\tan x_1 = t \Rightarrow \cos x_1 = \frac{1}{\sqrt{1+4t^2}}, \qquad \sin x_2 = t \Rightarrow \cos x_2 = \sqrt{1-t^2} \text{ 을 이용하여}$$

$$L'(t) = \frac{1}{g'(g^{-1}(t))} - \frac{1}{h'(h^{-1}(t))} = \frac{2}{\sec^2(x_1)} - \frac{1}{\cos(x_2)}$$

$$= \frac{2}{4t^2+1} - \frac{1}{\sqrt{1-t^2}}$$

$$= \frac{2\sqrt{1-t^2} - (4t^2+1)}{(4t^2+1)\sqrt{1-t^2}}$$

이고, $L'(t) = 0$에서 $\dfrac{2\sqrt{1-t^2} - (4t^2+1)}{(4t^2+1)\sqrt{1-t^2}} = 0 \Leftrightarrow 16t^4 + 12t^2 - 3 = 0$

$\therefore t^2 = \dfrac{-3+\sqrt{21}}{8}$ 을 만족하는 양수 t에서 $L(t)$는 극값을 가진다.

$0 \le t \le \dfrac{\sqrt{3}}{2}$ 에 대하여 $L(0) = 0 = L\left(\dfrac{\sqrt{3}}{2}\right)$이므로 연속함수 $L(t)$는 $t = 0$일 때 0에서 시작해서 연속적으로 커지다가 다시 줄어들어 $t = \dfrac{\sqrt{3}}{2}$일 때 다시 0이 된다.

따라서 $t^2 = \dfrac{-3+\sqrt{21}}{8}$인 양수 t에서 $L(t)$는 최댓값이 된다.

4. 2023학년도 건국대 수시 논술 1차

[문제 1] (나)에서 $\overline{XY}$의 최댓값을 구하고 풀이 과정을 쓰시오. [10점]

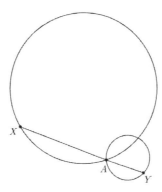

[문제 2] (나)에서 정적분 $\int_0^2 A(x)dx$의 값을 구하고 풀이 과정을 쓰시오. [15점]

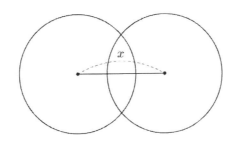

[문제 3] (나)에서 점 A, B의 좌표가 각각 $(2, 0)$, $(4, 0)$일 때 $\sin(\angle AXB)$의 최댓값을 구하고 풀이 과정을 쓰시오. [20점]

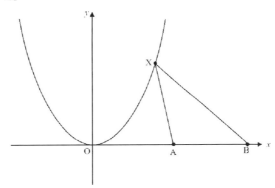

[문제 4] (나)에서 $R = 4r$라고 하자. $\theta = 0$일 때의 $\dfrac{d\theta}{dt}$와 $\theta = \dfrac{\pi}{2}$일 때의 $\dfrac{d\theta}{dt}$를 모두 구하고 풀이 과정을 쓰시오. [25점]

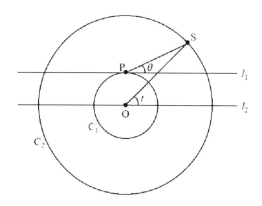

[문제 5] (나)에서 정의된 함수 $f(n)$을 이용하여 함수 $g(n)$을 다음과 같이 정의한다.

$$g(n) = f(10n) - 10f(n)$$

다음을 만족하는 자연수 n의 개수를 구하고 풀이 과정을 쓰시오. [30점]

$$g(n) = 8, \quad 1 \le n \le 6200$$

[문제 1번] 답: 거리의 최댓값은 $8\sqrt{2}$

[풀이] 두 개의 원

$$x^2 + 6x + y^2 - 8y = 0 \cdots (1)$$
$$x^2 - 2x + y^2 = 0 \cdots (2)$$

의 교점은 $(0, 0)$, $(1, 1)$인데 둘 중 어느 점을 지나는 직선을 이용해 계산해도 결과는 같다.

점 $(0, 0)$을 지나는 직선 $y = tx$가 원 (1)과 만나는 점의 좌표는 $\left(\dfrac{8t-6}{1+t^2}, \dfrac{8t^2-6t}{1+t^2} \right)$이고 원 (2)와 만나는 점의 좌표는 $\left(\dfrac{2}{1+t^2}, \dfrac{2t}{1+t^2} \right)$이다.

이 두 점 사이의 거리의 제곱은 $f(t) = \dfrac{64(t-1)^2}{(1+t^2)}$이고 $f'(t) = \dfrac{2(t-1)(t+1)}{(1+t^2)^2} = 0$이므로 $t = -1$에서 최댓값을 가짐을 알 수 있다.

최댓값은 $f(-1) = 2 \cdot 64$이다. 그러므로 거리의 최댓값은 $\sqrt{2 \cdot 64} = 8\sqrt{2}$.

[문제 2번] 답: $\dfrac{8}{3}$

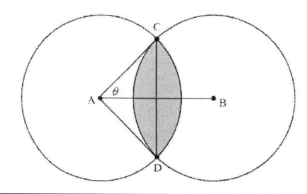

[풀이] 두 원의 중심을 A, B라 하고 두 원의 교점을 C, D라 하자. 각 CAB의 크기를 θ라 하자. 부채꼴 CAD의 넓이는 $\frac{1}{2} \cdot 1^2 \cdot (2\theta) = \theta$, 삼각형 CAD의 넓이는 $\frac{1}{2} \cdot 1^2 \cdot \sin(2\theta) = \frac{\sin 2\theta}{2}$이다.

공통부분의 넓이는 부채꼴 CAD의 넓이에서 삼각형 CAD의 넓이를 뺀 것의 2배이므로

$$A(x) = 2\left(\theta - \frac{\sin 2\theta}{2}\right) = 2\theta - \sin 2\theta.$$

$x = 2\cos\theta$이므로 $dx = -2\sin\theta d\theta$이다. $x = 0$일 때 $\theta = \frac{\pi}{2}$이고 $x = 2$일 때 $\theta = 0$이므로

$$\int_0^2 A(x)dx = \int_0^2 2\theta - \sin 2\theta dx = \int_{\frac{\pi}{2}}^0 (2\theta - \sin 2\theta)(-2\sin\theta)d\theta$$

$$= \int_0^{\frac{\pi}{2}} (2\theta - 2\sin\theta\cos\theta)(2\sin\theta)d\theta$$

$$= \int_0^{\frac{\pi}{2}} 4\theta\sin\theta - 4\sin^2\theta\cos\theta d\theta$$

$$= \left[-4\theta\cos\theta + 4\sin\theta - \frac{4}{3}\sin^3\theta\right]_0^{\frac{\pi}{2}} = 0 + 4 - \frac{4}{3} = \frac{8}{3}$$

위 계산에서는 다음 부분적분 및 치환적분이 사용되었다.

$$\int \theta\sin\theta d\theta = -\theta\cos\theta + \int \cos\theta d\theta = -\theta\cos\theta + \sin\theta + C$$

$$\int \sin^2\theta\cos\theta d\theta = \frac{1}{3}\sin^3\theta + C$$

[문제 3번] 답: $\sin\angle\text{APB} = \frac{\sqrt{2}}{\sqrt{3}}$

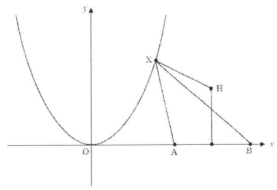

[풀이] 삼각형 ABX의 외접원의 중심의 좌표를 $\text{H}(3, b)$라 하자. X의 좌표를 $\text{X}\left(a, \frac{\sqrt{2}}{4}a^2\right)$라 하자. HA와 HX의 길이가 같아야 하므로

$$1 + b^2 = (3-a)^2 + \left(b - \frac{\sqrt{2}}{4}a^2\right) = 9 - 6a + a^2 + b^2 - \frac{\sqrt{2}}{2}a^2b + \frac{a^4}{8}.$$

이 식을 정리하면

99

$$\frac{\sqrt{2}}{2}a^2b = 8 - 6a + a^2 + \frac{a^4}{8} \cdots\cdots\text{①}$$

직선 HX가 접선과 수직이어야 하므로

$$\frac{\sqrt{2}}{2}a \cdot \frac{\dfrac{\sqrt{2}}{4}a^2 - b}{a - 3} = -1 \cdots\cdots\text{②}$$

따라서 식 ②를 정리하면

$$\frac{\sqrt{2}}{2}a^2b = \frac{a^4}{4} + a^2 - 3a \cdots\cdots\text{③}$$

따라서 ①과 ③으로부터

$$\frac{\sqrt{2}}{2}a^2b = 8 - 6a + a^2 + \frac{a^4}{8} = \frac{a^4}{4} + a^2 - 3a$$

이므로

$$\frac{a^4}{8} + 3a - 8 = 0$$

를 얻는다. 이 방정식을 풀면 $(a-2)\left(\dfrac{a^3}{8} + \dfrac{a^2}{4} + \dfrac{a}{2} + 4\right) = 0$에서 $a = 2$이다.

그러므로 $\sin(\angle\mathrm{AXB})$의 값이 최대가 되는 점 X의 좌표는 $(2,\ \sqrt{2})$이다.

따라서 $\overline{\mathrm{AB}} = 2$, $\overline{\mathrm{AX}} = \sqrt{2}$, $\overline{\mathrm{BX}} = \sqrt{6}$이므로 $\angle\mathrm{BAX} = 90°$이다.

이로부터 $\sin\angle\mathrm{AXB} = \dfrac{\sqrt{2}}{\sqrt{3}}$이다.

[문제 4번] 답: $\theta'(0) = 1$, $\theta'\left(\dfrac{\pi}{2}\right) = \dfrac{4}{3}$

[풀이]

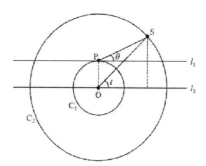

점 S로부터 x축에 수직으로 보조선을 그리면 그림과 같은 도형을 얻는다. 이로부터

$$\tan\theta = \frac{R\sin t - r}{R\cos t} \cdots\cdots\text{④}$$

을 얻는다. 이 식을 t에 관해 미분하면

$$\frac{\theta'(t)}{\cos^2\theta} = \frac{R - r\sin t}{R\cos^2 t} \cdots\cdots\text{⑤}$$

(1) $\theta=0$일 때 $\tan\theta=0$이므로 ④로부터 $\sin t=\dfrac{r}{R}=\dfrac{1}{4}$, $\cos t=\dfrac{\sqrt{15}}{4}$이다.

그러므로 $\theta'(0)=1$이다. **(주의: $\theta=0$일 때 $t\neq 0$이다.)**

(2) $\theta=\dfrac{\pi}{2}$일 때에는 $t=\dfrac{\pi}{2}$인데, 이를 ⑤에 바로 대입하여 답을 얻을 수 없다.

(방법1) ④에서 $\cos\theta=\dfrac{R\cos t\sin\theta}{R\sin t-r}$를 ⑤에 대입하면

$$\theta'(t)=\frac{R-r\sin t}{R\cos^2 t}\cdot\cos^2\theta=\frac{(R-r\sin t)\cdot R\sin^2\theta}{(R\sin t-r)^2}$$

따라서 $\theta=\dfrac{\pi}{2}$, $t=\dfrac{\pi}{2}$를 **대입하면** $\theta'\left(\dfrac{\pi}{2}\right)=\dfrac{3r\cdot 4r}{(3r)^2}=\dfrac{4}{3}$

(방법2) ④에서 $\cos^2\theta=\dfrac{1}{1+\tan^2\theta}=\dfrac{R^2\cos^2 t}{R^2-2rR\sin t+r^2}$를 ⑤에 대입하면

$$\theta'(t)=\frac{R(R-r\sin t)}{R^2-2rR\sin t+r^2}$$

이고, 이 식에 $\theta=\dfrac{\pi}{2}$, $t=\dfrac{\pi}{2}$, $R=4r$를 대입하면

$$\theta'\left(\frac{\pi}{2}\right)=\frac{3r\cdot 4r}{(3r)^2}=\frac{4}{3}$$

[문제 5번] 답: 161개

[풀이] 먼저, $g(n)$은 n의 자리수의 합인 것을 관찰할 수 있다. 예를 들어

$$g(5432)=f(54320)-10f(5432)$$

$$=5432+543+54+5-10(543+54+5)$$

$$=(5432-5430)+(543-540)+(54-50)+5$$

$$=2+3+4+5=14$$

일반적으로 $n=a_1 a_2\cdots a_m=a_1\cdot 10^{m-1}+a_2\cdot 10^{m-2}+\cdots+a_{m-1}\cdot 10+a_m$, **즉 n의 각 자리 수가 a_1, $\cdots$, a_m일 때**

$$g(n)=f(10n)-10f(n)$$

$$=\left\{\left(a_1 10^{m-1}+\cdots+a_m\right)+\left(a_1 10^{m-2}+\cdots+a_{m-1}\right)+\cdots+\left(a_1\cdot 10+a_2\right)+a_1\right\}$$
$$-10\left\{\left(a_1 10^{m-2}+\cdots+a_{m-1}\right)+\left(a_1 10^{m-3}+\cdots+a_{m-2}\right)+\cdots+a_1\right\}$$

$$=\left\{\left(a_1 10^{m-1}+\cdots+a_m\right)-\left(a_1 10^{m-1}+\cdots+a_{m-1}\cdot 10\right)\right\}$$
$$+\left\{\left(a_1 10^{m-2}+\cdots+a_{m-1}\right)-\left(a_1 10^{m-2}+\cdots+a_{m-2}\cdot 10\right)\right\}$$
$$+\cdots+\left\{\left(a_1\cdot 10+a_2\right)-a_1\cdot 10\right\}+a_1$$

$$=a_m+a_{m-1}+\cdots+a_2+a_1$$

따라서 $g(n)=a_1+\cdots+a_m$이 성립한다. 즉 $g(n)$은 n의 자리수의 합이다.

4자리 이하의 음이 아닌 정수 $n=a_1 a_2 a_3 a_4$ (즉 $0\leq n\leq 9999$인 정수 n) 중에서 $g(n)=8$을 만족하는 것의 개수는 다음을 만족하는 정수들의 개수와 같다.

$$x_1+x_2+x_3+x_4=8,\quad x_1,\ x_2,\ x_3,\ x_4\geq 0$$

5. 2023학년도 건국대 수시 논술 2차

[문제 1] (나)에서 주어진 수열 $\{d_n\}$에 대하여 $\lim\limits_{n \to \infty} \dfrac{d_n}{n}$을 구하고 풀이 과정을 쓰시오. [10점]

[문제 2] (나)에서 제시한 방법으로 서로 구별되지 않는 40개의 구슬을 상자에 넣는 방법의 수를 구하고 풀이 과정을 쓰시오. [15점]

[문제 3] (나)에서 $t = 0$일 때 $\theta_1 = \dfrac{\pi}{2}$, $\theta_2 = \dfrac{\pi}{4}$, $\dfrac{d\theta_1}{dt} = \dfrac{1}{3}$, $\dfrac{d\theta_2}{dt} = 0$이라고 하자. $t = 0$에서 P의 속력을 구하고 풀이 과정을 쓰시오. [20점]

[문제 4] (나)에서 $\overline{\rm AB} = 4$, $\overline{\rm AC} = 5$, $\overline{\rm BC} = 6$이고 $\overline{\rm BD} : \overline{\rm DC} = 1 : 2$일 때 삼각형 $\rm OO_1O_2$의 넓이를 구하고 풀이 과정을 쓰시오. [25점]

[문제 5] (나)에서 $\overline{\rm OP} = x$일 때 $\dfrac{\overline{\rm A'B'}}{\overline{\rm A'C'}}$와 $\dfrac{\overline{\rm AB}}{\overline{\rm AC}}$의 비 $\dfrac{\frac{\overline{\rm A'B'}}{\overline{\rm A'C'}}}{\frac{\overline{\rm AB}}{\overline{\rm AC}}}$는 x에 대한 식으로 표현된다. 이 식을 $f(x)$라 할 때 $f(x)$가 최소가 되는 x의 값을 구하고 풀이 과정을 쓰시오. [30점]

[문제 1번] 답: $\lim\limits_{n \to \infty} \dfrac{d_n}{n} = \dfrac{8}{3}$

[풀이] 좌표평면에서 원은 $x^2 + y^2 = 1$, $l_1 : y = 2$, $l_2 : y = -2$, $A_n(n, 2)$로 두자.

A_n을 지나는 직선 $l : y = k(x - n) + 2$과 원이 접할 조건 $\dfrac{|nk - 2|}{\sqrt{k^2 + 1}} = 1$로부터

이차방정식 $(n^2 - 1)k^2 - 4nk + 3 = 0$을 얻는다. 이 방정식의 두 근을 k_1, k_2라 하면

$k_1 + k_2 = \dfrac{4n}{n^2 - 1}$, $k_1 k_2 = \dfrac{3}{n^2 - 1}$이다. 그러므로

$(k_1 - k_2)^2 = (k_1 + k_2)^2 - 4k_1 k_2 = \dfrac{4n^2 + 12}{(n^2 - 1)^2}$이다.

직선 $l : y = k(x - n) + 2$이 $l_2 : y = -2$와 만나는 점의 x좌표는 $x = n - \dfrac{4}{k}$

따라서 $d_n = \left| \left(n - \dfrac{4}{k_1} \right) - \left(n - \dfrac{4}{k_2} \right) \right| = 4 \left| \dfrac{k_1 - k_2}{k_1 k_2} \right| = \dfrac{4}{3} \sqrt{4n^2 + 12}$

그러므로 $\displaystyle\lim_{n \to \infty} \dfrac{d_n}{n} = \dfrac{8}{3}$

[문제 2번] 답: 585가지

[풀이] 다음 조건을 만족하는 방정식의 정수해의 개수를 구한다.
$$x_1 + x_2 + x_3 + x_4 + x_5 = 40$$

(조건) x_1, x_2는 **홀수**, x_3, x_4는 **짝수**, **그리고** x_5는 **5의 배수**

정수 k_1, k_2, k_3, k_4와 정수 t에 대하여
$$x_1 = 2k_1 + 1, \ x_2 = 2k_2 + 1, \ x_3 = 2k_3 + 2, \ x_4 = 2k_4 + 2, \ x_5 = 5t + 5$$

로 나타낼 수 있으므로, 위의 방정식에서
$$40 = x_1 + x_2 + x_3 + x_4 + x_5 = 2(k_1 + k_2 + k_3 + k_4) + 11 + 5t, \quad (k_i \geq 0, \ t \geq 0)$$

이다. 따라서 다음 방정식의 정수해의 개수를 구하면 된다.
$$2(k_1 + k_2 + k_3 + k_4) = 29 - 5t, \quad (k_i \geq 0, \ t \geq 0)$$

이때, $t = 1$, 3, 5일 때만 정수해가 존재한다.

① $t = 1$일 때,
$$k_1 + k_2 + k_3 + k_4 = \dfrac{1}{2}(29 - 5t) = 12, \quad (k_i \geq 0)$$

이므로 해의 개수는 $_4H_{12} = {}_{4+12-1}C_{12} = {}_{15}C_{12} = {}_{15}C_3$

② $t = 3$일 때,
$$k_1 + k_2 + k_3 + k_4 = \dfrac{1}{2}(29 - 5t) = 7, \quad (k_i \geq 0)$$

이므로 해의 개수는 $_4H_7 = {}_{4+7-1}C_7 = {}_{10}C_7 = {}_{10}C_3$

③ $t = 5$일 때,
$$k_1 + k_2 + k_3 + k_4 = \dfrac{1}{2}(29 - 5t) = 2, \quad (k_i \geq 0)$$

이므로 해의 개수는 $_4H_2 = {}_{4+2-1}C_2 = {}_5C_2 = {}_5C_3$

따라서

①, ②, ③에 의하여 구슬을 상자에 넣는 방법의 수는
$$_{15}C_3 + {}_{10}C_3 + {}_5C_3 = 455 + 120 + 10 = 585.$$

[문제 3번] 답: $\dfrac{\sqrt{2}}{3}$

[풀이]

$\overline{\text{PA}} = r$로 두고 직선 AB를 x축으로 생각하면 P의 좌표는 $(r\cos\theta_1, \ r\sin\theta_1)$이다.

이때 θ_1, θ_2, r은 모두 t의 함수이다.

따라서 속도는 $(r'\cos\theta_1 - r\theta'\sin\theta_1,\ r'\sin\theta_1 + r\theta'\cos\theta_1)$이고 속력은
$\sqrt{(r')^2 + r^2(\theta_1')^2}$ 이다.

사인법칙에 의해

$$r = \frac{\sin\theta_2}{\sin(\theta_1 + \theta_2)} \quad\cdots\cdots\cdots\cdots\cdots\cdots\text{④}$$

$r(0) = 1$이다.

식 ④을 미분한 후 $t = 0$일 때의 조건을 대입하면

$$r'(0) = \frac{\cos\theta_2\sin(\theta_1 + \theta_2)\theta_2' - \sin\theta_2\cos(\theta_1 + \theta_2)(\theta_1' + \theta_2')}{\sin^2(\theta_1 + \theta_2)} = \frac{1}{3}$$

그러므로 속력은 $\dfrac{\sqrt{2}}{3}$ **이다.**

[문제 4번] 답: $\dfrac{2}{21}\sqrt{7}$

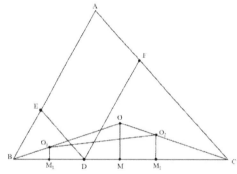

[풀이] 삼각형 ABC에 코사인정리를 적용하면

$$\cos\angle A = \frac{\overline{AB}^2 + \overline{AC}^2 - \overline{BC}^2}{2\overline{AB}\cdot\overline{AC}} = \frac{4^2 + 5^2 - 6^2}{2\cdot 4\cdot 5} = \frac{1}{8}\ \text{이다. 이로부터}\ \sin\angle A = \frac{3\sqrt{7}}{8}.$$

사인정리를 적용하면 $2R\sin\angle A = 6$, 따라서 $R = \dfrac{8}{\sqrt{7}}$.

선분 BC, BD, DC의 중점을 각각 M, M_1, M_2라 하자.

삼각형 ABC, EBD, FDC가 닮은 삼각형으로 닮음비가 $3:1:2$이다.

$\angle COM = \angle A$, $\overline{CO} = R$이므로 $\overline{OM} = \overline{OC}\cos\angle A = \dfrac{8}{\sqrt{7}}\cdot\dfrac{1}{8} = \dfrac{1}{\sqrt{7}}$.

닮음비를 이용하면 $\overline{OM_1} = \dfrac{1}{3\sqrt{7}}$, $\overline{OM_2} = \dfrac{2}{3\sqrt{7}}$임을 알 수 있다.

사각형 OO_1M_1M, OMM_2O_2, $O_1M_1M_2O_2$의 넓이는 각각

$$\frac{1}{2}(\overline{OM} + \overline{O_1M_1})\cdot\overline{MM_1} = \frac{1}{2}\left(\frac{1}{\sqrt{7}} + \frac{1}{3\sqrt{7}}\right)\cdot 1 = \frac{2}{3\sqrt{7}}$$

$$\frac{1}{2}(\overline{OM} + \overline{O_2M_2})\cdot\overline{MM_2} = \frac{1}{2}\left(\frac{1}{\sqrt{7}} + \frac{2}{3\sqrt{7}}\right)\cdot 2 = \frac{5}{3\sqrt{7}}$$

$$\frac{1}{2}(\overline{O_1M_1} + \overline{O_2M_2})\cdot\overline{M_1M_2} = \frac{1}{2}\left(\frac{1}{3\sqrt{7}} + \frac{2}{3\sqrt{7}}\right)\cdot 3 = \frac{3}{2\sqrt{7}}$$

그런데 삼각형 OO_1O_2의 넓이는 사각형 OO_1M_1M와 OMM_2O_2의 넓이의 합에서 사각형 $O_1M_1M_2O_2$의 넓이를 뺀 것과 같다. 따라서 삼각형 OO_1O_2의 넓이는 $\frac{2}{21}\sqrt{7}$이다.

[문제 5번] 답: $x=2$일 때 최솟값을 가진다.

[풀이]

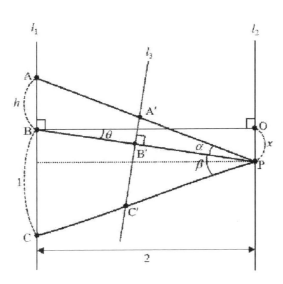

$\angle OBP = \theta$라고 하면 $\tan\theta = \dfrac{x}{2}$.

$\angle BPA = \alpha$, $\angle BPC = \beta$, $\overline{AB} = h$라고 하면

$\tan(\alpha+\theta) = \dfrac{x+h}{2}$, $\tan(\beta-\theta) = \dfrac{1-x}{2}$ 이다.

그러면 $\tan\alpha = \tan(\alpha+\theta-\theta) = \dfrac{2h}{x^2+hx+4}$

$\tan\beta = \tan(\beta-\theta+\theta) = \dfrac{2}{x^2-x+4}$

$$\dfrac{\overline{AB}}{\overline{AC}} = \dfrac{h}{1+h}, \quad \dfrac{\overline{A'B'}}{\overline{A'C'}} = \dfrac{\tan\alpha}{\tan\alpha+\tan\beta} = \dfrac{h}{h+1}\dfrac{x^2-x+4}{x^2+4}$$

그러면 $f(x) = \dfrac{x^2-x+4}{x^2+4}$.

미분하여 최솟값을 구하면 $x=2$일 때 최솟값을 가짐을 알 수 있다.

6. 2023학년도 건국대 모의 논술

[문제 1] $\angle ADB = t$일 때, 삼각형 ABD의 넓이를 t에 대한 식으로 표시하고 최댓값을 구하되 풀이 과정을 쓰시오. [10점]

[문제 2] 제시문 1의 (다)에서 오각형 ABCDE의 외접원의 중심을 O라 할 때, $\overline{OF} = \dfrac{1}{3}$이다. $\angle ADB$의 크기 t가 $30°$보다 클 때, $\tan t$의 값을 구하고 풀이 과정을 쓰시오. [15점]

[문제 3] 미분계수 $f'(3)$의 값을 구하되 풀이 과정을 쓰시오. [20점]

[문제 4] 정적분 $\int_0^3 f(t)dt$를 구하되 풀이 과정을 쓰시오. [25점]

[문제 5] 자연수 m에 대하여 1부터 m까지 자연수 중 하나의 수 p를 골랐을 때, 집합 $\{p\}$를 얻기까지 수행해야하는 p찾기의 횟수를 m_p라 하자. m_1, $\cdots$, m_m 중 가장 큰 수를 $f(m)$이라 할 때, 다음 극한값을 구하고 풀이 과정을 쓰시오. 참고로 $f(5)=3$이다. [30점]

$$\lim_{n \to \infty} \frac{f(n^3)}{f(n^2)}$$

[문제 1] 정답: 삼각형 ABD의 넓이를 $S(t)=\sqrt{3}\sin t\sin\left(\frac{2}{3}\pi-t\right)$이고, 최댓값은 $\frac{3}{4}\sqrt{3}$이다.

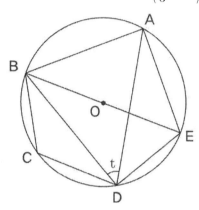

$$\angle BOC + \angle COD + \angle DOE = 2(\angle BEC + \angle CAD + \angle DBE)$$
$$= 2(\angle BAC + \angle CAD + \angle DBE) = 180°$$

이므로 점 B, O, E는 일직선 위에 있고
선분 BE는 오각형 $ABCDE$의 외접원의 지름이다.

선분 BE가 외접원의 지름이므로 $0 < t < \frac{\pi}{2}$이다. 삼각형 ABD의 넓이를 $S(t)$라 하자.

$\angle BAE = \frac{\pi}{2}$이므로 $\angle ABE = \frac{\pi}{2} - t$이다. $\angle DBE = \frac{\pi}{6}$이므로 $\angle ABD = \frac{2}{3}\pi - t$이다.

$\overline{BD} = \sqrt{3}$, $\overline{AB} = 2\sin t$이므로

$S(t) = \sqrt{3}\sin t\sin\left(\frac{2}{3}\pi-t\right)$이다.

$$S'(t) = \sqrt{3}\cos t\sin\left(\frac{2}{3}\pi-t\right) - \sqrt{3}\sin t\cos\left(\frac{2}{3}\pi-t\right)$$
$$= \sqrt{3}\sin\left(\frac{2}{3}\pi-2t\right)$$

$S'(t) = 0$의 해는 $t = \frac{\pi}{3}$이다.

$t < \frac{\pi}{3}$이면 $S'(t) > 0$이고 $t > \frac{\pi}{3}$이면 $S'(t) < 0$이므로 $t = \frac{\pi}{3}$일 때, $S(t)$가 최댓값을 가진다.

삼각형 ABD의 넓이의 최댓값은 $S\left(\frac{\pi}{3}\right) = \frac{3}{4}\sqrt{3}$이다.

[문제 2] 정답: $\tan t = \dfrac{2}{\sqrt{3}}$

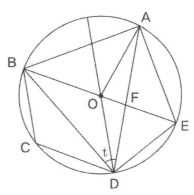

선분 BE는 오각형 $ABCDE$의 외접원의 지름이다.

$\angle BDO = \angle DBO = \dfrac{\pi}{6}$**이고** $t > \dfrac{\pi}{6}$**이므로 점** O, D, F**는 그림과 같이 위치한다.**

삼각형 ODF**에서** $\angle DOF = \dfrac{\pi}{3}$**,** $\angle ODF = t - \dfrac{\pi}{6}$**이므로** $\angle OFD = \dfrac{5}{6}\pi - t$**이다.**

사인법칙을 이 삼각형에 적용하면 $\dfrac{1}{\sin\left(\dfrac{5}{6}\pi - t\right)} = \dfrac{\overline{OF}}{\sin\left(t - \dfrac{\pi}{6}\right)}$ **를 얻는다.**

$\overline{OF} = \dfrac{1}{3}$**이므로** $3\sin\left(t - \dfrac{\pi}{6}\right) = \sin\left(\dfrac{5}{6}\pi - t\right)$**이다.**

전개하여 정리하면 $\tan t = \dfrac{2}{\sqrt{3}}$ **이다.**

[문제 3] 정답: $\dfrac{2}{7}$

$y' = \dfrac{1}{2\sqrt{x}}$**이므로 접선에 수직인 직선의 방정식은** $y = -2\sqrt{f(t)}\,(x - f(t)) + \sqrt{f(t)}$**이다.**

점 $P(0, \text{t})$**는 이 직선과** y**축이 만나는 점이므로** $t = 2f(\text{t})\sqrt{f(\text{t})} + \sqrt{f(\text{t})}$ **이다.**

f**의 역함수를** $g(x) = 2x\sqrt{x} + \sqrt{x}$ **라 하면** $g(x) = 3$**일 때** $x = 1$**이다.**

따라서 $f'(3) = \dfrac{1}{g'(1)} = \dfrac{1}{3 + \dfrac{1}{2}} = \dfrac{2}{7}$ **이다.**

[문제 4] 정답: $\dfrac{23}{15}$

$f(\text{t}) = x$**로 치환하고,** $t = 2f(\text{t})\sqrt{f(\text{t})} + \sqrt{f(\text{t})}$ **로부터** f**의 역함수를** $t = g(x) = 2x\sqrt{x} + \sqrt{x}$ **라고 하자. 이때** $f(3) = 1$**,** $f(0) = 0$**이므로**

$$\int_0^3 f(t)\,dt = \int_0^1 f(g(x))g'(x)\,dx = \int_0^1 x\left(3\sqrt{x} + \frac{1}{2\sqrt{x}}\right)dx$$

$$= \left[\frac{6}{5}x^{\frac{5}{2}} + \frac{1}{3}x^{\frac{3}{2}}\right]_0^1 = \frac{23}{15}$$

이다.

[문제 5] 정답: $\dfrac{3}{2}$

$2^k < n \le 2^{k+1}$이고 $1 \le p \le n$이면 $n_p = k$ 또는 $n_p = k+1$이고, 특히 $n_1 = k+1$이므로 $f(n) = k+1$이다.

즉, $f(n)$은 $\log_2 n$ 이상의 정수 중 가장 작은 것이다.

n이 이 범위에 있을 때 문제에 주어진 n^2과 n^3의 범위는 각각

$2^{2k} < n^2 \le 2^{2k+2}$, $2^{3k} < n^3 \le 2^{3k+3}$이므로

$2k+1 \le f(n^2) \le 2k+2$이고, $3k+1 \le f(n^3) \le 3k+3$이다

$$\frac{3}{2} = \lim_{k \to \infty}\frac{3k+1}{2k+2} \le \lim_{n \to \infty}\frac{f(n^3)}{f(n^2)} \le \lim_{k \to \infty}\frac{3k+3}{2k+1} = \frac{3}{2}$$

이므로

$$\lim_{n \to \infty}\frac{f(n^3)}{f(n^2)} = \frac{3}{2}$$

이다.

7. 2022학년도 건국대 수시 논술 A

문제 1

제시문 1의 (다)에서 직선 l_1과 l_2사이의 거리는 1로 일정하며, 두 원의 반지름은 r이고 $\overline{O_1 O_2} = 3r$이다.

극한값 $\displaystyle\lim_{r \to \infty}\frac{\overline{A_1 A_2}}{\overline{O_1 O_2}}$를 구하고 풀이 과정을 쓰시오.

문제 2

제시문 1의 (라)에서 계수 $a_k (0 \le k \le 60)$중 가장 큰 것을 a_p, 두 번째로 큰 것을 a_q라 하자. p와 q를 구하고 풀이 과정을 쓰시오.

문제 3

제시문 2의 (다)에서 직선 l의 기울기가 t일 때 $\angle AOB$의 크기를 $\theta(t)$라 하자. 미분계수 $\theta'(2)$의 값을 구하고 풀이 과정을 쓰시오.

문제 4

제시문 2의 (라)에서 $\angle CPD = \dfrac{\pi}{3}$일 때 $\overline{CD} + \overline{EF}$의 값 중 가장 큰 것을 구하고 풀이 과정을 쓰시오.

[문제 1] 답: $\dfrac{\sqrt{5}}{3}$

풀이: O_2에서 직선 O_1A_1에 내린 수선의 발을 P라 하면, $\angle O_1O_2P = \theta$에 대하여

$$\sin\theta = \frac{\overline{O_1P}}{\overline{O_1O_2}} = \frac{2r+1}{3r}$$

이고, 따라서 $\displaystyle\lim_{r \to \infty}\sin\theta = \frac{2}{3}$ 이고 $\displaystyle\lim_{r \to \infty}\cos\theta = \frac{\sqrt{5}}{3}$ 이다. A_2에서 직선 O_1A_1에 내린 수선의 발을 Q라 하면, $\overline{A_2Q} = \overline{O_2P} = 3r\cos\theta$ 이다. 따라서

$$\overline{A_1A_2} = \sqrt{\overline{A_1Q}^2 + \overline{A_2Q}^2} = \sqrt{1 + 9r^2\cos^2\theta}$$

그러므로 극한값은

$$\lim_{r \to \infty}\frac{\sqrt{1 + 9r^2\cos^2\theta}}{3r} = \frac{\sqrt{5}}{3}$$

[문제 2] 답: $p = 17, \ q = 16$

풀이: 식을 전개하면

$$(5 + 2x)^n = 5^n\left(1 + \frac{2}{5}x\right)^n = 5^n\sum_{k=0}^{n}{}_nC_k\left(\frac{2}{5}\right)^k x^k$$

이므로, $a_k = 5^n{}_nC_k\left(\dfrac{2}{5}\right)^k$ 의 값이 최대가 되는 k값을 구하면 된다.

$a_k < a_{k+1}$ 이 되는 k의 조건을 구한다.

먼저 $a_k < a_{k+1}$ **이 되는 필요충분조건은** $\dfrac{a_{k+1}}{a_k} > 1$ **이다. 한편,** $a_k < a_{k+1}$ **일 때,**

$$\frac{a_{k+1}}{a_k} = \frac{5^n \cdot {}_nC_{k+1} \cdot \left(\frac{2}{5}\right)^{k+1}}{5^n \cdot {}_nC_k \cdot \left(\frac{2}{5}\right)^k} = \frac{2}{5} \cdot \frac{n-k}{k+1} > 1$$

이다. 따라서 $k < \dfrac{2n-5}{7}$ **이면,** $a_k < a_{k+1}$ **이다.**

그리고 $k > \dfrac{2n-5}{7}$ **이면,** $a_k > a_{k+1}$ **이다.**

한편 $n = 60$ **이고** $k < \dfrac{2n-5}{7} = \dfrac{115}{7} = 16.4\cdots$ **이므로, 계수들의 대소관계는 다음과 같다.**

$$a_0 < a_1 < a_2 < \cdots < a_{16} < a_{17} > a_{18} > a_{19} > \cdots > a_{60} \cdots\cdots(1)$$

따라서 $k = 17$ **일 때, 계수** a_k **가 가장 크고,** $p = 17$ **이다.**

이제 두 번째 큰 계수를 찾기 위해 식 (1)에서 a_{16} **과** a_{18} **을 비교하면 된다.**

$$\frac{a_{18}}{a_{16}} = \frac{5^{60} \cdot {}_{60}C_{18} \cdot \left(\frac{2}{5}\right)^{18}}{5^{60} \cdot {}_{60}C_{16} \cdot \left(\frac{2}{5}\right)^{16}} = \frac{44 \cdot 43}{18 \cdot 17} \cdot \frac{4}{25} = \frac{7568}{7650} < 1$$

이므로, $a_{18} < a_{16}$ **이다. 따라서 두 번째 큰 계수는** a_{16} **이고,** $q = 16$ **이다.**

[문제 3] 답: $-\dfrac{4\sqrt{3}}{39}$

풀이: 직선 l의 방정식은 $y=t(x+1)$이다. 점의 좌표를 $A(a,\ a^2)$, $B(b,\ b^2)$이라 놓자. 직선 OA의 기울기를 $\tan\theta_1$, 직선 OB의 기울기를 $\tan\theta_2$라 하면 $\tan\theta_1=a$, $\tan\theta_2=b$이다. 삼각함수의 덧셈정리를 이용하여

$$\tan\theta=\tan(\theta_1-\theta_2)=\frac{\tan\theta_1-\tan\theta_2}{1+\tan\theta_1\tan\theta_2}=\frac{a-b}{1+ab}$$

를 얻는다. a, b는 방정식 $t(x+1)=x^2$, 즉 $x^2-tx-t=0$의 근이다. 이차방정식의 근과 계수의 관계로부터 $a+b=t$, $ab=-t$를 얻는다.

$a-b<0$이므로 $a-b=-\sqrt{(a+b)^2-4ab}=-\sqrt{t^2+4t}$이다. 따라서

$$\tan\theta=-\frac{\sqrt{t^2+4t}}{1-t}=\frac{\sqrt{t^2+4t}}{t-1}$$

이다. 양변을 t에 대해 미분하면

$$\sec^2\theta\cdot\theta'(t)=\frac{\dfrac{2t+4}{2\sqrt{t^2+4t}}(t-1)-\sqrt{t^2+4t}}{(t-1)^2}$$

이다. $t=2$일 때 $\tan\theta=2\sqrt{3}$이고 이 때 $\sec\theta=\sqrt{13}$이다. 그러므로

$$13\theta'(2)=-\frac{4\sqrt{3}}{3}$$

이고 따라서 $\theta'(2)=-\dfrac{4\sqrt{3}}{39}$이다.

[문제 4] 답: 4

풀이: 원의 중심을 O라 하자.

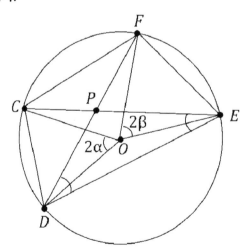

현 CD의 원주각 CED를 α, 현 EF의 원주각 EDF를 β라 하자. 그러면

$$\angle COD=2\alpha,\ \angle EOF=2\beta$$

이다. 반지름이 2이므로 삼각형 CDO에서 $\overline{CD}= 2 \cdot 2\sin\alpha = 4\sin\alpha$이고 삼각형 EFO에서 $\overline{EF}= 4\sin\beta$이다. 따라서

$$\overline{CD}+ \overline{EF}= 4(\sin\alpha + \sin\beta)$$

이다. 삼각형 DEP에서 $\alpha + \beta = \angle CPD = \dfrac{\pi}{3}$이므로

$$\overline{CD}+ \overline{EF}= 4\left(\sin\alpha + \sin\left(\dfrac{\pi}{3} - \alpha\right)\right)$$

이다. 삼각함수의 덧셈정리로부터

$$\begin{aligned}\overline{CD}+ \overline{EF} &= 4\left(\sin\alpha + \sin\left(\dfrac{\pi}{3} - \alpha\right)\right)\\ &= 4\left(\sin\alpha + \dfrac{\sqrt{3}}{2}\cos\alpha - \dfrac{1}{2}\sin\alpha\right)\\ &= 2\sin\alpha + 2\sqrt{3}\cos\alpha\end{aligned}$$

이다. $f(\alpha) = 2\sin\alpha + 2\sqrt{3}\cos\alpha$라 하자. $f'(\alpha) = 2\cos\alpha - 2\sqrt{3}\sin\alpha = 0$을 풀면 $\tan\alpha = \dfrac{1}{\sqrt{3}}$이고 $\alpha = \dfrac{\pi}{6}$를 얻는다. $0 < \alpha < \dfrac{\pi}{6}$일 때 $f'(\alpha) > 0$이고 $\dfrac{\pi}{6} < \alpha < \dfrac{\pi}{2}$일 때 $f'(\alpha) < 0$이므로 $f(\alpha)$는 $\alpha = \dfrac{\pi}{6}$일 때 최댓값 $f\left(\dfrac{\pi}{6}\right) = 4$를 갖는다. 따라서 $\overline{CD}+ \overline{EF}$는 값 중 가장 큰 것은 4이다.

8. 2022학년도 건국대 수시 논술 B

문제 1

제시문 1의 (다)에서 $\overline{BD}= 2$, $\sin\angle BAD = \dfrac{1}{2}$, $\sin\angle BCD = \dfrac{1}{3}$일 때 $\overline{PQ}$의 값 중 가장 큰 것을 구하고 풀이 과정을 쓰시오.

문제 2

제시문 1의 (라)에 주어진 점들에 대하여 삼각형 $BA_{n-1}A_n$의 넓이가 a_n일 때 $\displaystyle\sum_{n=1}^{100} a_n^2$을 구하고 풀이 과정을 쓰시오.

문제 3

제시문 2의 (다)에서 $\angle BAC$의 크기가 θ일 때 색칠한 도형의 넓이를 $S(\theta)$라 하자. $\overline{BC}= 2$일 때 $\dfrac{dS}{d\theta}$의 값을 구하고 풀이 과정을 쓰시오.

문제 4

제시문 2의 (라)에서 $\overline{CD}= 2$일 때 $\overline{AP}$의 값 중 가장 큰 것을 구하고 풀이 과정을 쓰시오.

[문제 1] 답: $5+2\sqrt{2}+\sqrt{3}$

풀이:

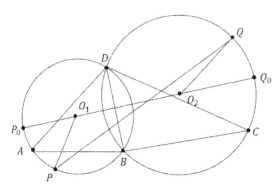

삼각형 ABD의 외접원의 중심 O_1과 삼각형 BCD의 외접원의 중심 O_2를 지나는 직선이 각 원과 만나는 점을 P_0, Q_0라 하면, $\overline{P_0Q_0}$의 길이가 구하고자 하는 값임을 보이자.

원 O_1위의 임의의 점 P와 원 O_2위의 임의의 점 Q에 대하여

$\overline{PO_1}+\overline{O_1O_2}+\overline{O_2Q}=\overline{P_0Q_0}$이다. 그런데 $\overline{PQ}\leq\overline{PO_1}+\overline{O_1O_2}+\overline{O_2Q}$이므로 $\overline{PQ}\leq\overline{P_0Q_0}$이다. 따라서 $\overline{P_0Q_0}$가 구하고자 하는 값이다.

원 O_1과 O_2의 반지름을 각각 r_1과 r_2라 하면 $\overline{P_0Q_0}=r_1+r_2+\overline{O_1O_2}$이다.

삼각형 ABD와 BCD에 사인법칙을 적용하면 $2r_2\sin\angle BCD=\overline{BD}$, $2r_1\sin\angle BAD=\overline{BD}$가 성립한다. 이로부터 $r_1=2$, $r_2=3$임을 알 수 있다.

선분 O_1O_2와 선분 BD의 교점을 H라 하면, $\overline{BH}=1$이므로, $\overline{O_1H}=\sqrt{3}$, $\overline{O_2H}=2\sqrt{2}$이다. 따라서 $\overline{O_1O_2}=\sqrt{3}+2\sqrt{2}$이다.

그러므로 $\overline{P_0Q_0}=5+2\sqrt{2}+\sqrt{3}$이다.

[문제 2] 답: 83300

풀이: A_1이 선분 A_0A_2의 중점이므로 삼각형 BA_0A_1과 BA_1A_2는 넓이가 같다. 즉 $a_1=a_2$. A_3이 선분 A_2A_4의 중점이므로 삼각형 BA_2A_3과 BA_3A_4는 넓이가 같다. 즉 $a_3=a_4$. 삼각형 BA_1A_2와 BA_2A_3은 밑변의 길이가 $\overline{BA_2}=2$이고 높이가 1이다. 즉 $a_2=a_3=1$. 따라서 $a_1=a_2=a_3=a_4=1$이다.

같은 이유로 $k=1,\ 2,\ ...,\ 25$에 대하여 다음이 성립한다.

A_{4k-3}이 $A_{4k-4}A_{4k-2}$의 중점이므로 삼각형 $BA_{4k-4}A_{4k-3}$과 $BA_{4k-3}A_{4k-2}$는 넓이가 같다.

A_{4k-1}이 $A_{4k-2}A_{4k}$의 중점이므로 삼각형 $BA_{4k-2}A_{4k-1}$과 $BA_{4k-1}A_{4k}$는 넓이가 같다.

삼각형 $BA_{4k-3}A_{4k-2}$와 $BA_{4k-2}A_{4k-1}$은 밑변의 길이가 $\overline{BA_{4k-2}}=4k-2$이고 높이가 1이다.

따라서

$$a_{4k-3}=a_{4k-2}=a_{4k-1}=a_{4k}=\frac{1}{2}\cdot(4k-2)\cdot 1=2k-1.$$

$$\sum_{n=1}^{100} a_n^2 = \sum_{k=1}^{25} \left(a_{4k-3}^2 + a_{4k-2}^2 + a_{4k-1}^2 + a_{4k}^2 \right) = \sum_{k=1}^{25} 4(2k-1)^2$$

$$= \sum_{k=1}^{25} \left(16k^2 - 16k + 4 \right) = 16 \cdot \frac{25 \cdot 26 \cdot 51}{6} - 16 \cdot \frac{25 \cdot 26}{2} + 4 \cdot 25$$

$$= 83300$$

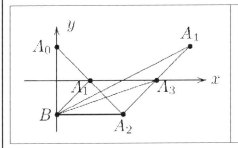 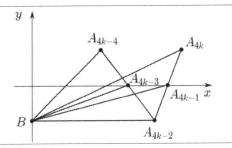

[문제 3] 답: $\dfrac{5}{2}$

풀이:

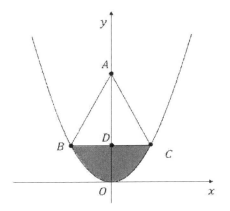

$\angle BAC$의 크기가 θ일 때 점 C의 좌표를 $(x,\ x^2)$이라 하자. 그러면

$$S = 2x \cdot x^2 - 2\int_0^x t^2 dt = 2x^3 - \frac{2}{3}x^3 = \frac{4}{3}x^3$$

이다. $\dfrac{dS}{d\theta} = \dfrac{dS}{dx}\dfrac{dx}{d\theta} = 4x^2 \dfrac{dx}{d\theta}$ 이다. 선분 AO와 선분 BC의 교점을 D라 하자. 직각삼각형 ADC

에서 $\tan\dfrac{\theta}{2} = \dfrac{x}{3-x^2}$ 이고 양변을 x에 대하여 미분하여

$$\sec^2\frac{\theta}{2} \cdot \frac{1}{2} \cdot \frac{d\theta}{dx} = \frac{3+x^2}{\left(3-x^2\right)^2}$$

을 얻는다.

$\overline{BC} = 2$일 때

$x = 1$이고 이때 $\tan\dfrac{\theta}{2} = \dfrac{1}{2}$이고 $\sec\dfrac{\theta}{2} = \dfrac{\sqrt{5}}{2}$이다.

$x=1$일 때 $\dfrac{d\theta}{dx}=\dfrac{8}{5}$이므로 $\dfrac{dx}{d\theta}=\dfrac{1}{\dfrac{d\theta}{dx}}=\dfrac{5}{8}$이다.

$\overline{BC}=2$일 때

$$\frac{dS}{d\theta}=4x^2\frac{dx}{d\theta}=4\cdot 1\cdot\frac{5}{8}=\frac{5}{2}$$이다.

[문제 2−2] 답: $4+4\sqrt{3}$

풀이:

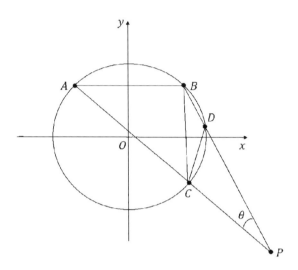

$\angle APB$의 크기를 θ라 하자. $\angle AOB=\dfrac{\pi}{2}$이므로 $\angle ACB=\dfrac{\pi}{4}$이다.

삼각형 BCP에서 $\angle CBD=\dfrac{\pi}{4}-\theta$이고 따라서 $\angle COD=\dfrac{\pi}{2}-2\theta$이다.

$\overline{CD}=2$이고 원의 반지름 또한 2이므로 $\angle COD=\dfrac{\pi}{3}$이다.

따라서 $\dfrac{\pi}{2}-2\theta=\dfrac{\pi}{3}$이고, $\theta=\dfrac{\pi}{12}$임을 알 수 있다.

$\angle APB=\dfrac{\pi}{12}$인 점 P는 현 AB에 대한 원주각이 $\dfrac{\pi}{12}$인 원 위에 있다. 따라서 이 원의 반지름을 r이라 하면 $\overline{AP}$는 이 원의 지름이 될 때 가장 큰 값을 갖는다. 점 P의 현 AB에 대한 원주각이 $\dfrac{\pi}{12}$이므로 $r\sin\dfrac{\pi}{12}=\dfrac{1}{2}\overline{AB}=\sqrt{2}$이다.

삼각함수의 덧셈정리를 이용하여

$$\sin\frac{\pi}{12}=\sin\left(\frac{\pi}{3}-\frac{\pi}{4}\right)=\sin\frac{\pi}{3}\cos\frac{\pi}{4}-\cos\frac{\pi}{3}\sin\frac{\pi}{4}=\frac{\sqrt{6}-\sqrt{2}}{4}$$

를 얻는다. 따라서

$$r=\sqrt{2}\cdot\frac{4}{\sqrt{6}-\sqrt{2}}=\sqrt{2}(\sqrt{2}+\sqrt{6})=2+2\sqrt{3}$$

이다. 그러므로 $\overline{AP}$의 값 중 가장 큰 것은 $2r=4+4\sqrt{3}$이다.

9. 2022학년도 건국대 모의 논술

[문제 1] [그림 1]에서 $\overline{PA}^2 + \overline{PB}^2$의 값이 가장 작을 때, $\cos^2\alpha$의 값을 구하시오. 풀이 과정도 함께 쓰시오.

[문제 2] [그림 2]에서 $\dfrac{dS}{d\theta} = -5\sqrt{3}$일 때 $\sin\alpha$의 값을 구하시오. 풀이 과정도 함께 쓰시오.

[문제 3] [그림 3]에서 $\tan\alpha = \dfrac{1}{3}$일 때, 삼각형 PQR의 넓이를 구하시오. 풀이 과정도 함께 쓰시오.

[문제 4] [그림 4]에서 $\tan\alpha$의 값을 구하시오. 풀이 과정도 함께 쓰시오.

[문제 1] 답: $\dfrac{5}{6} + \dfrac{\sqrt{2}}{12}$

점 P가 원 위에 있으므로 $P(\cos\theta,\ \sin\theta)$로 나타낼 수 있다. $(0 \leq \theta \leq 2\pi)$

$$\overline{PA}^2 = (\cos\theta - (-2))^2 + (\sin\theta - (-1))^2 = 6 + 4\cos\theta + 2\sin\theta$$

이고

$$\overline{PB}^2 = \cos^2\theta + (\sin\theta - (-1))^2 = 2 + 2\sin\theta$$

이다. 따라서

$$f(\theta) = \overline{PA}^2 + \overline{PB}^2 = 8 + 4(\cos\theta + \sin\theta)$$

이다. $f(\theta)$가 최솟값을 가질 때 $f'(\theta) = 0$이거나 $\theta = 0$ 또는 2π이다.

$f'(\theta) = 4(-\sin\theta + \cos\theta) = 0$**을 풀면, $\tan\theta = \dfrac{\sin\theta}{\cos\theta} = 1$이다. 이 때 $\theta = \dfrac{\pi}{4},\ \dfrac{5\pi}{4}$이다.**

θ**의 닫힌구간 $[0,\ 2\pi]$에서 $f'(\theta) = 4(-\sin\theta + \cos\theta)$의 부호를 조사하여 $\theta = \dfrac{5\pi}{4}$일 때 $f(\theta)$가 극솟값을 갖는 것을 알 수 있다.**

$f\left(\dfrac{5\pi}{4}\right) = 8 - 4\sqrt{2},\ f(0) = f(2\pi) = 12$**이므로 $f(\theta)$는 $\theta = \dfrac{5\pi}{4}$일 때 최솟값을 갖는다.**

$\theta = \dfrac{5\pi}{4}$**일 때 $\overline{PA}^2 = 6 + 4\cos\theta + 2\sin\theta = 6 - 3\sqrt{2}$이다.**

$\overline{PA}\cos\alpha = \cos\theta - (-2) = 2 - \dfrac{\sqrt{2}}{2}$**이므로 $\overline{PA}^2\cos^2\alpha = \dfrac{9}{2} - 2\sqrt{2}$이다.**

따라서

$$\cos^2\alpha = \left(\dfrac{9}{2} - 2\sqrt{2}\right) \cdot \dfrac{1}{6 - 3\sqrt{2}} = \dfrac{9 - 4\sqrt{2}}{2} \cdot \dfrac{2 + \sqrt{2}}{6} = \dfrac{5}{6} + \dfrac{\sqrt{2}}{12}$$

이다.

[문제 2] 답: $\dfrac{\sqrt{15}}{4}$

점 O에서 직선 l에 내린 수선의 발을 D, 수선의 길이를 α라 하자. 직각삼각형 ADO를 이용하여 $a = 3\sin\theta$를 얻는다.

원의 반지름이 2이므로 $S = \int_a^2 2\sqrt{4-x^2}\,dx = -\int_2^a 2\sqrt{4-x^2}\,dx$ 이다.

합성함수의 미분법으로부터 $\dfrac{dS}{d\theta} = \dfrac{dS}{da} \cdot \dfrac{da}{d\theta}$ **를 얻는다.**

$S = -\int_2^a 2\sqrt{4-x^2}\,dx$ 이므로 미적분의 기본정리로부터 $\dfrac{dS}{da} = -2\sqrt{4-a^2}$ 을 얻는다.

$a = 3\sin\theta$ 으로부터 $\dfrac{da}{d\theta} = 3\cos\theta$ 를 얻는다.

따라서 $\dfrac{dS}{d\theta} = -2\sqrt{4-a^2} \cdot 3\cos\theta = -2\sqrt{4-9\sin^2\theta} \cdot 3\cos\theta$ **이다.**

$\sin^2\theta + \cos^2\theta = 1$ 이므로 $\dfrac{dS}{d\theta} = -6\sqrt{9\cos^2\theta - 5} \cdot \cos\theta$ 이다.

$\dfrac{dS}{d\theta} = -5\sqrt{3}$ 이므로 $-6\sqrt{9\cos^2\theta - 5} \cdot \cos\theta = -5\sqrt{3}$ 이다.

따라서 $12(9\cos^2\theta - 5) \cdot \cos^2\theta = 25$ **이다.**

$t = \cos^2\theta$ 라 하면 $12(9t-5)t = 25$ 이다.

정리하여 t**에 대한 이차방정식** $108t^2 - 60t - 25 = 0$ **을 얻는다.**

$t > 0$ 이므로, 이차방정식을 풀면 $t = \dfrac{5}{6}$ 이다.

θ 가 예각이므로 $\cos\theta > 0$ 이고, **따라서** $\cos\theta = \sqrt{t} = \sqrt{\dfrac{5}{6}}$ **이다.**

이 때 $\sin\theta = \sqrt{1 - \dfrac{5}{6}} = \sqrt{\dfrac{1}{6}}$ 이고 $a = 3\sin\theta = \dfrac{\sqrt{6}}{2}$ 이다.

직각삼각형 BDO**를 이용하여** $\cos\dfrac{\alpha}{2} = \dfrac{a}{2} = \dfrac{\sqrt{6}}{4}$ **을 얻는다. 이 때** $\sin\dfrac{\alpha}{2} = \dfrac{\sqrt{10}}{4}$ **이다.**

삼각함수의 덧셈정리로부터

$$\sin\alpha = \sin\left(\dfrac{\alpha}{2} + \dfrac{\alpha}{2}\right) = \sin\dfrac{\alpha}{2}\cos\dfrac{\alpha}{2} + \cos\dfrac{\alpha}{2}\sin\dfrac{\alpha}{2} = 2\sin\dfrac{\alpha}{2}\cos\dfrac{\alpha}{2}$$

이다.

따라서 $\sin\alpha = 2 \cdot \dfrac{\sqrt{10}}{4} \cdot \dfrac{\sqrt{6}}{4} = \dfrac{\sqrt{15}}{4}$ **이다.**

[문제 3] 답: $\dfrac{192 - 96\sqrt{3}}{5}$

정삼각형 ABC**의 한 변의 길이를** a**라 하자.**

삼각형 ACR**과 삼각형** ABP**에 사인법칙을 적용하면**

$$\dfrac{\overline{AR}}{\overline{AC}} = \dfrac{\sin(60° - \alpha)}{\sin 120°}, \quad \dfrac{\overline{AP}}{\overline{AB}} = \dfrac{\sin\alpha}{\sin 120°}$$

삼각함수의 덧셈정리를 적용하면,

$$\overline{AR} = \dfrac{2}{\sqrt{3}}a\left(\dfrac{\sqrt{3}}{2}\cos\alpha - \dfrac{1}{2}\sin\alpha\right), \quad \overline{AP} = \dfrac{2}{\sqrt{3}}a\sin\alpha$$

이로부터 $\overline{PR}=\overline{AR}-\overline{AP}=a(\cos\alpha-\sqrt{3}\sin\alpha)$

$\tan\alpha=\dfrac{1}{3}$ 이므로 $\cos\alpha=\dfrac{3}{\sqrt{10}}$, $\sin\alpha=\dfrac{1}{\sqrt{10}}$ 이다. 이를 이용하여 정삼각형 ABC와 PQR의

닮음비를 구하면

$$\frac{\overline{PR}}{a}=\cos\alpha-\sqrt{3}\sin\alpha=\frac{3-\sqrt{3}}{\sqrt{10}}$$

따라서 삼각형 PQR의 넓이는 삼각형 ABC의 넓이의 $\left(\dfrac{3-\sqrt{3}}{\sqrt{10}}\right)^2$ 배이다.

그러므로 삼각형 PQR의 넓이는 $\left(\dfrac{3-\sqrt{3}}{\sqrt{10}}\right)^2\times32=\dfrac{192-96\sqrt{3}}{5}$ 이다.

[문제 4] 답: $\dfrac{15}{77}\sqrt{7}$

$\overline{PA}=x$, $\overline{PB}=y$, $\overline{PC}=z$ 라 하자.

삼각형 PAB, PBC, PCA에 코사인법칙을 적용하면,

$$x^2=y^2+16-8y\cos\alpha,\ \ y^2=z^2+25-10z\cos\alpha,\ \ z^2=x^2+36-12x\cos\alpha$$

이 세 식을 더하고 정리하면

$2(6x+4y+5z)\cos\alpha=77$이고 따라서 $\cos\alpha=\dfrac{77}{2(6x+4y+5z)}$ 이다.

삼각형 ABC의 넓이 S는 세 삼각형 PAB, PBC, PCA의 넓이의 합과 같으므로

$S=\dfrac{1}{2}(6x+4y+5z)\sin\alpha$이고 따라서 $\sin\alpha=\dfrac{2S}{6x+4y+5z}$ 이다.

따라서

$$\tan\alpha=\frac{\sin\alpha}{\cos\alpha}=\frac{4S}{77}\ \dotfill(1)$$

삼각형 ABC에 코사인법칙을 적용하면,

$\cos A=\dfrac{6^2+4^2-5^2}{2\times6\times4}=\dfrac{9}{16}$ 이다. 이로부터 $\sin A=\dfrac{5\sqrt{7}}{16}$ 임을 알 수 있다.

따라서 $S=\dfrac{1}{2}\times4\times6\times\sin A=\dfrac{15}{4}\sqrt{7}$ 이다.

이를 (1)에 대입하면 $\tan\alpha=\dfrac{15}{77}\sqrt{7}$ 이다.

10. 2021학년도 건국대 수시 논술 A

문제 1

제시문 1의 (나)에서 자연수 n에 대하여 $t=n$일 때, 사각형 $P_1P_2P_3P_4$의 넓이를 R_n이라 하고,
원 C의 넓이를 S_n이라 하자. 다음 극한값을 구하고 풀이 과정을 쓰시오.

$$\lim_{n\to\infty}\frac{R_n}{S_n}$$

문제 2

제시문 1의 (나)에서 $\sin\theta = \dfrac{3}{5}$일 때, t의 값을 구하고 풀이 과정을 쓰시오.

문제 3

제시문 2의 (다)에서 $\overline{AB}$가 가질 수 있는 값 중 가장 작은 것을 구하고 풀이 과정을 쓰시오.

문제 4

제시문 2의 (라)에서 빗금친 영역의 넓이를 $S(t)$라 하자. 미분계수 $S'(3)$의 값을 구하고 풀이 과정을 쓰시오.

[문제 1] 답 : $\dfrac{2}{\pi}$

[풀이]

점 P_1의 좌표를 (a, a), 점 P_3의 좌표를 (b, b)라 하자. 원 C의 중심을 D라 하자. 대칭성에 의하여 점 D는 y축 위에 있으므로 $D(0, c)$라 놓을 수 있다.

$\overline{DP_1} = \overline{DP_3}$이므로 $a^2 + (a-c)^2 = b^2 + (b-c)^2$이고, $a^2 - b^2 = (b-c)^2 - (a-c)^2$을 얻는다.

$(a-b)(a+b) = (b-c-a+c)(b-c+a-c)$이고,

$a - b \neq 0$이므로, $a + b = 2c - (a+b)$이다.

a와 b는 이차방정식 $-x^2 + t = x$, 즉, $x^2 + x - t = 0$의 두 근이다. 근과 계수의 관계에서 $a + b = -1$이다.

따라서 $-1 = 2c - (-1)$이고, $c = -1$이다.

그러므로 원의 중심은 $D(0, -1)$이다.

원의 반지름은 $\sqrt{a^2 + (a-c)^2} = \sqrt{a^2 + (a+1)^2} = \sqrt{2(a^2 + a) + 1}$이다,

a는 $x^2 + x - t = 0$을 만족하므로, 원의 반지름은 $\sqrt{1 + 2t}$이다.

$t = n$일 때, 원의 반지름은 $\sqrt{1 + 2n}$이고 원의 넓이는 $S_n = (2n+1)\pi$이다.

사각형 $P_1 P_2 P_3 P_4$은 사다리꼴이고, $t = n$일 때 넓이는

$$R_n = \frac{1}{2}(2a + 2(-b))(a - b) = (a-b)^2 = (a+b)^2 - 4ab$$

이고, 근과 계수의 관계에서 $a + b = -1$, $ab = -n$이므로, $R_n = 1 + 4n$이다.

그러므로 $\displaystyle\lim_{n \to \infty} \frac{R_n}{S_n} = \lim_{n \to \infty} \frac{1 + 4n}{(2n+1)\pi} = \frac{2}{\pi}$이다.

[문제 2] 답: 12

[풀이]

원 C의 반지름을 r이라 하면 중심이 $D(0, -1)$이므로 원의 방정식은 $x^2 + (y+1)^2 = r^2$이다.

$x^2 + (y+1)^2 = r^2$의 도함수 $\dfrac{dy}{dx}$를 음함수 미분법에 의하여 구하면 $\dfrac{dy}{dx} = -\dfrac{x}{y+1}$이다.

$P_1(a,\ a)$로 놓으면, 원 C의 점 P_1에서 그은 접선의 기울기는 $-\dfrac{a}{a+1}$이다.

$\tan\theta = -\tan(\pi-\theta) = -\left(-\dfrac{a}{a+1}\right) = \dfrac{a}{a+1}$이다.

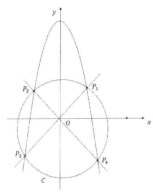

한편, $\sin\theta = \dfrac{3}{5}$이므로 $\cos\theta = \dfrac{4}{5}$이고 $\tan\theta = \dfrac{3}{4}$이다.

따라서 $\dfrac{3}{4} = \dfrac{a}{a+1}$이고, $a=3$이다. 점 P_1의 좌표는 $(3,\ 3)$이다.

원의 반지름은 $r = \overline{DP_1} = \sqrt{(3-0)^2 + (3-(-1))^2} = 5$이다.

$r = \sqrt{1+2t}$이므로 $\sqrt{1+2t} = 5$이고, 따라서 $t=12$이다.

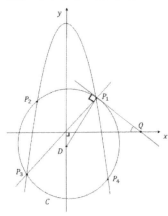

[문제 3] 답: $2\sqrt{2}$

[풀이]

곡선 $y = e^{x-1} + 2$와 곡선 $y = 1 + \ln(x-2)$는 직선 $y=x$에 대하여 대칭이고, 직선 l은 기울기가 -1이므로 직선 $y=x$에 수직이다. 따라서 점 A의 좌표가 $\left(x,\ e^{x-1}+2\right)$일 때, 점 B의 좌표는 $\left(e^{x-1}+2,\ x\right)$이다. 이 때

$$\overline{AB} = \sqrt{(x-e^{x-1}-2)^2 + (e^{x-1}+2-x)^2} = \sqrt{2}\left(e^{x-1} - x + 2\right)$$

이다.

$f(x) = \sqrt{2}\left(e^{x-1} - x + 2\right)$라 하자. $f'(x) = \sqrt{2}\left(e^{x-1} - 1\right) = 0$을 풀어 $x=1$을 얻는다.

$f''(x) = \sqrt{2}\,e^{x-1}$이고, $f''(1) = \sqrt{2} > 0$이므로 $f(x)$는 $x=1$에서 최솟값을 갖는다. 따라서 $\overline{AB}$의 최솟값은 $f(1) = 2\sqrt{2}$이다.

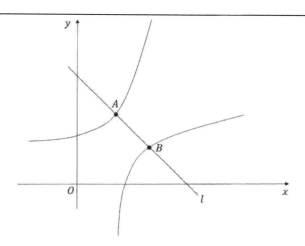

[문제 4] 답: $\dfrac{3}{2}$

[풀이]

점 D의 좌표를 $(a,\ -a+t)$(또는 $\left(a,\ (a-1)^{\frac{1}{3}}\right)$)라 하면, $(a-1)^{\frac{1}{3}}=-a+t$이다. 이 때 점 F의 좌표는 $(a,\ 0)$이고, 따라서 정사각형 $OFGE$의 넓이는 a^2이다.

x축, 직선 DF, 곡선 $y=(x-1)^{\frac{1}{3}}$으로 둘러싸인 정사각형 $OFGE$내부의 영역의 넓이는 $\displaystyle\int_1^a (x-1)^{\frac{1}{3}}dx$이다. 곡선 $y=x^3+1$과 곡선 $y=(x-1)^{\frac{1}{3}}$은 직선 $y=x$에 대하여 대칭이므로 이 넓이는 y축, 직선 CE, 곡선 $y=x^3+1$로 둘러싸인 정사각형 $OFGE$ 내부의 영역의 넓이와 같다.따라서

$$S(t)=a^2-2\int_1^a (x-1)^{\frac{1}{3}}dx$$

이다. (이 때 $(a-1)^{\frac{1}{3}}=-a+t$이다.)

$\displaystyle\int_1^a (x-1)^{\frac{1}{3}}dx=\left[\frac{3}{4}(x-1)^{\frac{4}{3}}\right]_1^a=\frac{3}{4}(a-1)^{\frac{4}{3}}$이므로,

$S(t)=a^2-\dfrac{3}{2}(a-1)^{\frac{4}{3}}$이다. 합성함수의 미분법에 의하여

$$S'(t)=2a\frac{da}{dt}-\frac{3}{2}\cdot\frac{4}{3}(a-1)^{\frac{1}{3}}\frac{da}{dt}=2a\frac{da}{dt}-2(a-1)^{\frac{1}{3}}\frac{da}{dt}$$

이다.

$(a-1)^{\frac{1}{3}}=-a+t$이므로 $t=3$일 때 $a-1=(3-a)^3$이고, 따라서 $a^3-9a^2+28a-28=(a-2)(a^2-7a+14)=0$이다. $a^2-7a+14>0$이므로 $t=3$일 때 $a=2$를 얻는다.

$(a-1)^{\frac{1}{3}}=-a+t$ 이므로 $t=(a-1)^{\frac{1}{3}}+a$이고 $\dfrac{dt}{da}=\dfrac{1}{3}(a-1)^{-\frac{2}{3}}+1$이다. $t=3$일 때 $a=2$이

므로 $\dfrac{dt}{da} = \dfrac{4}{3}$ **이다.**

역함수의 미분법에 의하여 $t = 3$ **일 때** $\dfrac{da}{dt} = \dfrac{1}{\dfrac{dt}{da}} = \dfrac{3}{4}$ **이다.**

따라서 $S'(3) = 2 \cdot 2 \cdot \dfrac{3}{4} - 2 \cdot (2-1)^{\frac{1}{3}} \cdot \dfrac{3}{4} = 3 - \dfrac{3}{2} = \dfrac{3}{2}$ **이다.**

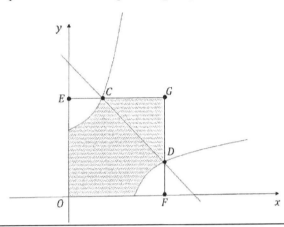

11. 2021학년도 건국대 수시 논술 B

문제 1

제시문 1의 (나)에서 $\overline{ED} : \overline{DF} = 3 : 1$일 때, 점 D의 좌표를 구하고 풀이 과정을 쓰시오.

문제 2

제시문 1의 (다)에서 점 A와 점 B의 x좌표를 각각 a와 b라 하자. a와 b가 다음을 만족할 때 두 접선의 교점 C로 이루어진 영역의 넓이를 구하고 풀이 과정을 쓰시오.

$$1 \le a \le 2, \quad -2 \le b \le -1$$

문제 3

제시문 2의 (나)에서 $r = 1$일 때 $\dfrac{d\theta}{dr}$의 값을 구하고 풀이 과정을 쓰시오.

문제 4

제시문 2의 (다)에서 $\angle PSQ$의 크기가 최소일 때 점 P의 좌표를 구하고 풀이 과정을 쓰시오.

[문제 1] 답 : D**의 좌표** $(t, \ t^2) = \left(\dfrac{1}{\sqrt{2}}, \ \dfrac{1}{2} \right)$

[풀이]

D의 좌표를 $D(t, t^2)$라 하자. (t는 양수)

먼저, 점 E, F의 좌표를 t로 나타내자. D, E, F를 지나는 직선을 l이라 하자.

D에서의 접선의 기울기가 $2t$이므로 l의 기울기는 $-\dfrac{1}{2t}$이다.

직선 l이 D를 지나므로 직선의 방정식은 $y-t^2=-\dfrac{1}{2t}(x-t)$이다

직선의 식에 $y=0$을 대입하면 $x=t+2t^3$이므로 F의 좌표는 $F\left(t+2t^3,\ 0\right)$이다.

이제 E의 x좌표를 구하자. 직선의 식에 포물선의 식 $y=x^2$를 대입하면

$x^2-t^2=-\dfrac{1}{2t}(x-t)$에서 $(x-t)(x+t)=-\dfrac{1}{2t}(x-t)$이다.

E의 x좌표를 구하기 위해서는 $x\neq t$인 경우만 생각하면 되므로 $x+t=-\dfrac{1}{2t}$에서 $x=-t-\dfrac{1}{2t}$이다. 따라서 E의 좌표는 $E\left(-t-\dfrac{1}{2t},\ \left(t+\dfrac{1}{2t}\right)^2\right)$이다.

지금까지 계산한 점의 좌표는 아래와 같다.

$$D\left(t,\ t^2\right),\quad E\left(-t-\dfrac{1}{2t},\ \left(t+\dfrac{1}{2t}\right)^2\right),\quad F\left(t+2t^3,\ 0\right)$$

점 D, E에서 x축에 내린 수선의 발을 D_1, E_1이라 하자.

D, E, F가 일직선상에 있으므로 삼각형 EE_1F와 삼각형 DD_1F는 닮은꼴이고, 닮음비는 $\dfrac{\overline{EF}}{\overline{DF}}=\dfrac{\overline{ED}+\overline{DF}}{\overline{DF}}=\dfrac{3+1}{1}=\dfrac{4}{1}$이다.

따라서 $\overline{EE_1}:\overline{DD_1}=4:1$이고, 선분 $\overline{DD_1}$, $\overline{EE_1}$의 길이가 각각 D, E의 y좌표이므로

$$\dfrac{4}{1}=\dfrac{\overline{EE_1}}{\overline{DD_1}}=\dfrac{\left(t+\dfrac{1}{2t}\right)^2}{t^2}=\dfrac{4t^4+4t^2+1}{4t^4}\ \text{이다.}$$

따라서 $12t^4-4t^2-1=0$, $(2t^2-1)(6t^2+1)=0$, $t^2=\dfrac{1}{2}$이다.

그런데 t가 양수이므로 $t=\dfrac{1}{\sqrt{2}}$이고 D의 좌표는 $\left(t,\ t^2\right)=\left(\dfrac{1}{\sqrt{2}},\ \dfrac{1}{2}\right)$이다.

[문제 2] 답 : $\dfrac{3}{2}$

[풀이]

점 A, B의 좌표를 각각 $\left(a,\ a^2\right)$, $\left(b,\ b^2\right)$이라 하자.

C의 좌표를 $\left(c_1,\ c_2\right)$라 하고 c_1, c_2를 a, b로 나타내자.

점 A에서의 접선은 $y-a^2=2a(x-a)$에서 $y=2ax-a^2$이다.

같은 방법으로 점 B에서의 접선은 $y=2bx-b^2$이고, 이 두 개의 식을 연립하여 풀면

$$x=\dfrac{a+b}{2},\ y=ab$$

이다. 따라서 $c_1=\dfrac{a+b}{2}$, $c_2=ab$이고 C의 좌표는 $\left(\dfrac{a+b}{2},\ ab\right)$이다.

$1\leq a\leq 2$, $-2\leq b\leq -1$이므로 C의 y좌표인 ab는 음수이므로, C는 x축의 아래에 있다.

$a=1$일 때 A에서의 접선은 $y=2x-1$이고 a가 증가하면 접선의 x축의 아래에 있는 부분은 점점 아래로 이동하여 $a=2$일 때 $y=4x-4$가 된다.

비슷하게, $b=-1$일 때 B에서의 접선은 $y=-2x-1$이고 b가 감소하면 접선의 x축 아래에 있는 부분은 점점 아래로 이동하여 $b=-2$일 때 $y=-4x-4$가 된다.

따라서 C가 속하는 영역은 네 점 $(1,\ 1)$, $(-1,\ 1)$, $(2,\ 4)$, $(-2,\ 4)$에서의 접선들인 아래 네 직선으로 둘러싸여 있고 x축 아래에 있는 부분이다. ([그림 A]의 채색된 부분)

$$y=2x-1, \quad y=-2x-1, \quad y=4x-4, \quad y=-4x-4$$

위 네 직선의 교점들 중 x축의 아래에 있는 것은 다음과 같다.

$$(0,\ -1),\ \ (0,\ -4),\ \ \left(\frac{1}{2},\ -2\right),\ \ \left(-\frac{1}{2},\ -2\right)$$

이 네 점을 꼭짓점으로 하는 사각형 영역의 넓이는 $\dfrac{3}{2}$이고, 이것이 구하는 답이다.

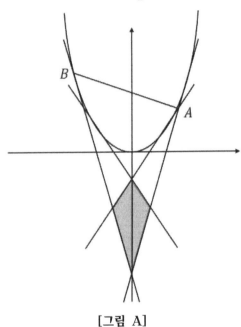

[그림 A]

[문제 3] 답 : $\dfrac{d\theta}{dr} = -\dfrac{2\sqrt{3}}{3}$

[풀이]

$\angle BAO$의 크기를 α라고 하자. $2\alpha + \theta = \dfrac{\pi}{2}$이다.

직각삼각형 ABO에서

$\sin\alpha = \dfrac{r}{2}$이고 $\cos\alpha = \dfrac{\sqrt{4-r^2}}{2}$이다.

삼각함수의 덧셈정리에 의하여

$$\sin 2\alpha = \sin(\alpha+\alpha) = \sin\alpha\cos\alpha + \cos\alpha\sin\alpha = 2\sin\alpha\cos\alpha = \frac{r\sqrt{4-r^2}}{2}$$

이다. 따라서 $\cos\theta = \sin\left(\dfrac{\pi}{2}-\theta\right) = \sin 2\alpha = \dfrac{r\sqrt{4-r^2}}{2}$이고,

$\dfrac{d(\cos\theta)}{dr} = \dfrac{1}{2}\left(1 \cdot \sqrt{4-r^2} + \dfrac{r(-2r)}{2\sqrt{4-r^2}}\right) = \dfrac{2-r^2}{\sqrt{4-r^2}}$ **이다.**

또한, 합성함수의 미분법에 의하여 $\dfrac{d(\cos\theta)}{dr} = -\sin\theta\dfrac{d\theta}{dr}$ **이다.**

따라서 $-\sin\theta\dfrac{d\theta}{dr} = \dfrac{2-r^2}{\sqrt{4-r^2}}$ **이고,** $\dfrac{d\theta}{dr} = \dfrac{r^2-2}{\sqrt{4-r^2}} \cdot \dfrac{1}{\sin\theta}$ **이다.**

$r=1$**일 때** $\sin\alpha = \dfrac{1}{2}$**이므로** $\alpha = \dfrac{\pi}{6}$**이고, 이 때** $\theta = \dfrac{\pi}{6}$**이고,** $\sin\theta = \sin\dfrac{\pi}{6} = \dfrac{1}{2}$**이다.**

따라서 $r=1$**일 때** $\dfrac{d\theta}{dr} = \dfrac{1-2}{\sqrt{4-1}} \cdot 2 = -\dfrac{2}{\sqrt{3}} = -\dfrac{2\sqrt{3}}{3}$**이다.**

[문제 4] 답 : $\left(\dfrac{2-6\sqrt{3}}{13}, \dfrac{3+4\sqrt{3}}{13}\right)$

[풀이]

$P(\cos\theta, \sin\theta)$, $0 \le \theta \le \pi$**라고 두면** $Q(\cos\theta, \sin\theta+1)$

점 P**에서** x**축 위로 내린 수선의 발을** H**라고 하고,** $\angle SQH = \alpha_1$, $\angle PQH = \alpha_2$, $\angle SQP = \alpha$**라 하자.**

$\tan\alpha_1 = \dfrac{\sin\theta+1}{2-\cos\theta}$, $\tan\alpha_2 = \dfrac{\sin\theta}{2-\cos\theta}$ **이므로**

$$\tan\alpha = \tan(\alpha_1 - \alpha_2) = \dfrac{\tan\alpha_1 - \tan\alpha_2}{1+\tan\alpha_1\tan\alpha_2}$$

$$= \dfrac{\dfrac{\sin\theta+1}{2-\cos\theta} - \dfrac{\sin\theta}{2-\cos\theta}}{1 + \dfrac{\sin\theta+1}{2-\cos\theta}\dfrac{\sin\theta}{2-\cos\theta}} = \dfrac{2-\cos\theta}{5-4\cos\theta+\sin\theta}$$

이다. 양변을 미분하면

$$\sec^2\alpha\, \alpha'(\theta) = \dfrac{\sin\theta(5-4\cos\theta+\sin\theta) - (2-\cos\theta)(4\sin\theta+\cos\theta)}{(5-4\cos\theta+\sin\theta)^2}$$

$$= \dfrac{-3\sin\theta - 2\cos\theta + 1}{(5-4\cos\theta+\sin\theta)^2} = 0$$

을 얻는다.

따라서

$$3\sin\theta + 2\cos\theta - 1 = 0 \text{.................(1)}$$

$\cos\theta = \pm\sqrt{1-\sin^2\theta}$ **로 (1)를 치환하면** $2\sqrt{1-\sin^2\theta} = 1-3\sin\theta$**이다.**

양변을 제곱하면 $4(1-\sin^2\theta) = 1 - 6\sin\theta + 9\sin^2\theta$

정리하면 $13\sin^2\theta - 6\sin\theta - 3 = 0$**이다.**

2차 방정식의 근의 공식을 이용하여 $\sin\theta = \dfrac{3\pm\sqrt{48}}{13}$ **를 얻는다.**

그러나 $0 \le \theta \le \pi$에서 $\sin\theta \ge 0$이므로 $\sin\theta = \dfrac{3+4\sqrt{3}}{13}$가 y좌표이다.

이때, x좌표를 구하기 위해서 (1)를 이용하면 $\cos\theta = \dfrac{1}{2}(1-3\sin\theta) = \dfrac{2-6\sqrt{3}}{13}$이다.

그러므로 $\angle PSQ$가 최소일 때 P의 좌표는 $\left(\dfrac{2-6\sqrt{3}}{13},\ \dfrac{3+4\sqrt{3}}{13}\right)$이다.

12. 2020학년도 건국대 수시 논술

문제 1

[그림 1]의 타원의 방정식이 $\dfrac{x^2}{9}+\dfrac{y^2}{4}=1$이라고 하자. $\angle FAB = \dfrac{\pi}{2}$가 되는 삼각형 FAB의 넓이를 S라 하자. S의 값을 모두 구하고 풀이과정을 쓰시오. (단, 점 A의 y좌표는 양수)

문제 2

[그림 1]의 타원의 방정식이 $\dfrac{x^2}{2}+y^2=1$이라고 하자. 선분 AB의 중점을 M이라 할 때, 직선 FM의 기울기의 최댓값을 구하고 풀이과정을 쓰시오.

문제 3

[그림 2]에서 점 B와 직선 AC사이의 거리는 6이고, $\overline{DP}=4$이다. 점 P의 평면 ABC위로의 정사영을 Q, 점 P에서 직선 AC에 내린 수선의 발을 R라고 하자. $\overline{CQ}=2$이고 $\overline{CR}=1$일 때, 선분 CD의 길이를 구하고 풀이과정을 쓰시오.

문제 4

[그림 3]에서 삼각형 ABC와 삼각형 ABE의 넓이는 각각 5와 3이다. 선분 CD는 길이가 2이고, 선분 CD의 평면 ABE위로의 정사영의 길이는 1이다. 점 D와 평면 ABC사이의 거리를 구하고 풀이과정을 쓰시오.

[1번] 답: $6,\ \dfrac{24}{5}$

풀이:

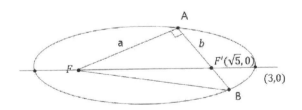

$\dfrac{x^2}{9}+\dfrac{y^2}{4}=1$의 장축의 꼭짓점은 $(\pm 3,\ 0)$이다. 그러므로 타원의 한 점에서 두 초점까지의 거리의 합은 항상 6이다. 이제 $\overline{FA}=a$, $\overline{F'A}=b$라 하자. 점 A에서 두 초점에 이르는 거리의 합이 6이고 $\triangle FAF'$이 직각삼각형이라는 사실로부터 다음의 두 방정식을 얻는다.

$$a + b = 6$$
$$a^2 + b^2 = (2\sqrt{5})^2 = 20$$

연립하여 풀면 $a = 4,\ b = 2$와 $a = 2,\ b = 4$인 두 경우가 나온다.

경우 ① : $\overline{FA} = 4,\ \overline{F'A} = 2$인 경우

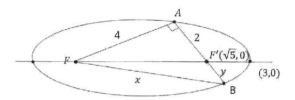

$\overline{FB} = x,\ \overline{F'B} = y$라 하자. 점 B에서 두 초점에 이르는 거리의 합이 6이고 $\triangle FAB$가 직각삼각형이라는 사실로부터 다음의 두 방정식을 얻는다.

$$x + y = 6$$
$$4^2 + (2 + y)^2 = x^2$$

연립하여 풀어 $y = 1$을 얻는다. 따라서 $\triangle FAB$의 넓이 $S = \dfrac{1}{2} \cdot 4 \cdot (2 + 1) = 6$이다.

경우 ②: $\overline{FA} = 2,\ \overline{F'A} = 4$인 경우

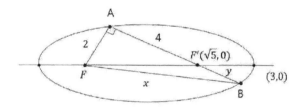

경우 ①과 같이 하여 아래의 방정식을 얻는다.

$$x + y = 6$$
$$2^2 + (4 + y)^2 = x^2$$

연립하여 풀어 $y = \dfrac{4}{5}$를 얻는다. 따라서 $\triangle FAB$의 넓이 $S = \dfrac{1}{2} \cdot 2 \cdot \left(4 + \dfrac{4}{5}\right) = \dfrac{24}{5}$이다. 경우 ①과 ②로부터 S의 값은 6 또는 $\dfrac{24}{5}$이다.

[2번] 답: $\dfrac{1}{4}$

풀이:

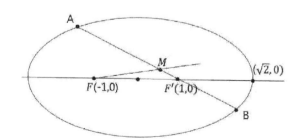

점 F'을 지나는 직선 AB의 방정식을 $y=m(x-1)$이라고 하자. 점 A와 점 B는 타원 위의 점이므로 타원의 방정식 $x^2+2y^2=2$을 만족한다. 두 방정식 $y=m(x-1)$과 $x^2+2y^2=2$을 연립하면 $x^2+2m^2(x-1)^2=2$이다. 이를 정리하여 $(1+2m^2)x^2-4m^2x+(2m^2-2)=0$을 얻는다.

이 방정식의 두 근 $x=\dfrac{2m^2\pm\sqrt{2+2m^2}}{1+2m^2}$은 각각 점 A와 점 B의 x좌표이다. 따라서 점 M의

x좌표는 $\dfrac{1}{2}\left(\dfrac{2m^2+\sqrt{2+2m^2}}{1+2m^2}+\dfrac{2m^2-\sqrt{2+2m^2}}{1+2m^2}\right)=\dfrac{2m^2}{1+2m^2}$이다. 그러므로 점 M의 좌표는

$M\left(\dfrac{2m^2}{1+2m^2},\ \dfrac{-m}{1+2m^2}\right)$이다.

이제 직선 FM의 기울기를 $f(m)$이라 하자. 초점 F의 좌표가 $F(-1,\ 0)$이므로

$$f(m)=\dfrac{\dfrac{-m}{1+2m^2}-0}{\dfrac{2m^2}{1+2m^2}-(-1)}=\dfrac{-m}{1+4m^2}$$이다.

$f'(m)=\dfrac{4m^2-1}{(1+4m^2)^2}$이고, $f'(m)=0$에서 $m=\pm\dfrac{1}{2}$을 얻는다. $f'(m)$의 부호를 조사하면 $f(m)$

이 $m=-\dfrac{1}{2}$일 때 최댓값을 가짐을 알 수 있다. 따라서 최댓값은 $f\left(-\dfrac{1}{2}\right)=\dfrac{1}{4}$이다.

[3번] 답: 12

풀이:

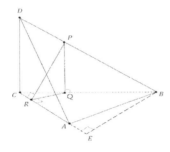

선분 CD가 평면 ABC와 수직이므로 점 Q는 직선 BC위에 있다. 삼수선의 정리에 의하여 점 R은 점 Q에서 직선 AC에 내린 수선의 발이다. 따라서 삼각형 CRQ는 직각삼각형이다.

$\overline{CQ}=2$, $\overline{CR}=1$이므로 $\overline{QR}=\sqrt{2^2-1^2}=\sqrt{3}$이다.

점 B에서 직선 AC에 내린 수선의 발을 E라고 하자. 삼각형 CRQ와 삼각형 CEB는 닮은 삼각형이다. $\overline{QR}=\sqrt{3}$, $\overline{BE}=6$이므로 $\overline{BC}=\overline{CQ}\cdot\dfrac{6}{\sqrt{3}}=2\cdot\dfrac{6}{\sqrt{3}}=4\sqrt{3}$이다. 각 CBD의 크기를

θ라고 할 때, $\cos\theta=\dfrac{\overline{CQ}}{\overline{DP}}=\dfrac{2}{4}=\dfrac{1}{2}$이고, 따라서 $\theta=\dfrac{\pi}{3}$이다.

각 BCD가 직각이므로, $\overline{CD}=\overline{BC}\tan\theta=4\sqrt{3}\tan\dfrac{\pi}{3}=4\sqrt{3}\cdot\sqrt{3}=12$이다.

[4번] 답: $\dfrac{3\sqrt{3}}{5}$

풀이:

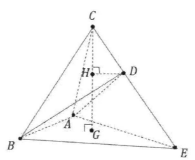

점 C에서 평면 ABE에 내린 수선의 발을 G라 하고 점 D에서 직선 CG에 내린 수선의 발을 H라 하자. 선분 DH의 길이는 선분 CD의 평면 ABE위로의 정사영의 길이와 같으므로 $\overline{DH}=1$이다. 삼각형 CHD가 직각삼각형이므로 $\overline{CH}=\sqrt{2^2-1^2}=\sqrt{3}$이다.

(사면체 $ABCD$의 부피) $=$ (사면체 $ABEC$의 부피) $-$ (사면체 $ABED$의 부피)

$$=\frac{1}{3}\cdot(\text{삼각형 } ABE\text{의 넓이})\cdot\overline{CG}-\frac{1}{3}\cdot(\text{삼각형 } ABE\text{의 넓이})\cdot\overline{HG}$$

$$=\frac{1}{3}\cdot3\cdot(\overline{CG}-\overline{HG})$$

$$=\frac{1}{3}\cdot3\cdot\overline{CH}$$

$$=\sqrt{3}$$

이다. 점 D와 평면 ABC사이의 거리를 d라 하면

(사면체 $ABCD$의 부피) $=\dfrac{1}{3}\cdot(\text{삼각형 } ABC\text{의 넓이})\cdot d=\dfrac{5}{3}d$이다.

따라서 $\dfrac{5}{3}d=\sqrt{3}$이고 $d=\dfrac{3\sqrt{3}}{5}$이다.